Intensive care

Rosita Steenbeek

Intensive care

2004 Prometheus Amsterdam

Voor mijn moeder

Eerste druk februari 2004
Tweede druk maart 2004

© 2004 Rosita Steenbeek
Omslagontwerp Geert Franssen
Foto omslag Cornelie Tollens
www.uitgeverijprometheus.nl
ISBN 90 446 0373 6

De boom

'Ga jij maar voorin,' zegt mijn moeder.

Johanna zwaait ons na in de door kerstverlichting omkranste deuropening.

'Wat zijn je plannen nu?' vraagt Tado met zijn warme rustige stem terwijl we voortrijden over een lege weg.

'Ik blijf nog een tijdje bij mijn moeder. Dan ga ik naar Rome en in maart ben ik weer hier. Ik heb een reeks lezingen in de boekenweek. Het thema dit jaar is de dood.'

'Je hebt goed gesproken in de kerk. Helemaal in de stijl van je vader.'

'Ik had nooit gedacht dat ik het zou kunnen, maar het ging vanzelf.'

Het had Tado ook geholpen dat hij de rouwdienst voor zijn dochter zelf had kunnen leiden. Een halfjaar eerder dan mijn vader stierf zij in hetzelfde ziekenhuis.

'Het was een troostende avond. Je bent extra blij met de mensen die er nog wél zijn.'

Wat gebeurt er? Waar is de witte streep op de weg? De auto gaat naar links, over de linkerweghelft. Ik zie het niet goed, heb mijn lenzen niet in.

We rijden over gras.

Tado zegt niks, stuurt door, kalm.

Een boom.
Een gil. Uit mijn mond.

Zo vaak heb ik deze momenten teruggezien, haarscherp. Als een korte film. Die onverbiddelijke boom in de schijnwerpers van onze autolampen. Tado die geen krimp gaf, geen kreet, geen ruk aan het stuur, geen trap op de rem, waardoor ik twijfelde aan mezelf. En toen in een flits het besef: Nu gaan we dood.

'Hoe heet u?'
Ik doe mijn ogen open en zie een zwarte hemel met sterren achter de takken van de bomen.
Was papa nou dood of niet? is het eerste wat door me heen gaat.
'Hoe heet u?'
'Rosita Steenbeek.'
Dit is geen epileptische aanval, want dan zou ik niet begrijpen wat er gezegd wordt. Er is iets heel ergs gebeurd. Ik zie die boom weer in het helle licht.
'Hoe is het...' Ik kan haast niet ademhalen door de pijn. '...met de anderen?'
'Ernstig.'
Een kramp van angst. Ik kijk naar de gezichten boven me.
'Wie zijn de anderen?' vraagt een man.
'Mijn moeder en mijn neef. De neef van mijn vader.'
Stemmen, schijnwerpers, bewegende schaduwen tussen de bomen.
Ik wil mijn hoofd optillen.
'U moet zich niet bewegen,' zegt een andere man in een groen pak.
'Hoe is het met ze?'
'Uw moeder leeft.'
Goddank.

'En mijn neef?'
'Uw neef is overleden.'

Overal lichten, als op een filmset.

Het is geen set. Dit is de werkelijkheid. Het echte leven, waar de dood elk moment kan binnenvallen. *Midden in het leven zijn wij door de dood omvangen.* Ik heb het altijd geweten, ik heb het voortdurend beseft. Het ware leven is vreselijk, wreed, extreem. Ik verbaasde me erover dat het zo lang goed ging.

Hier lig ik en zie toe.

'Waar komt u vandaan, waar ging u heen?'
'Uit Utrecht. Naar Amersfoort.'
'Wat deed u in Utrecht?'
'Etentje.'

Ik moet me erg concentreren. Ja, papa is dood, steekt het door me heen.

'Troostetentje. Mijn vader is net overleden.'

Intussen zijn ze druk bezig met van alles. Ze prikken in mijn arm.

'We leggen u op de brancard. Het zal even pijn doen.'

Een paar mensen draaien me een beetje op mijn zij. Ik hoor mezelf kreunen en heb het gevoel dat alles stuk is. Een zak vol scherven, *een bundel kneuzingen.* Ze schuiven iets onder me, dekken me toe en binden me met riemen vast, mijn armen langs mijn lijf. Ik voel me een ding, een gebroken voorwerp. Er lekt iets in mijn oog. Bloed.

'*Geen van uw beenderen zal Hij breken,*' las Piet, de oude schoolvriend van mijn vader, aan zijn ziekbed.

'Naar De Lichtenberg?' hoor ik iemand vragen. Waar mijn vader lag.

'Nee, naar het UMC.'
'En mijn moeder?'
'Die gaat met een andere ambulance.'

Er zijn er drie.

Zachte stemmen in de auto. Buiten loeit de sirene. Ik denk aan die eerdere tocht in een ambulance van Zeeland naar Utrecht na mijn eerste epileptische aanval. De auto was net nieuw en de bestuurder wilde alles uitproberen. De sirene, het zwaailicht.

Ook toen dacht ik dat ik doodging. Ik heb die laatste beelden vlak voor ik mijn bewustzijn verloor, nog steeds haarscherp op mijn netvlies. Mijn vader, mijn moeder, de bloeiende struiken, de zon, de zorgeloze zomerdag waar het ineens stopt. *Midden in het leven zijn wij door de dood omvangen,* baden we in de rouwdienst van papa. Het ontwaken zie ik nog net zo helder voor me. Op het bed van de vrienden van mijn vader waar we een bezoek brachten. De arts die ik voor dominee aanzag. Alles begon opnieuw, net als nu. *Midden in de dood zijn wij in het leven.*

Ze schuiven me uit de ziekenauto, dragen me een grote lichte ruimte in. Een man knipt met snelle bewegingen eerst mijn mooie winterjas uit Sicilië kapot, dan mijn hesje, mijn rok, mijn beha en slipje.

Bloot ben ik. Mensen in witte jassen om me heen.

Ze vegen bloed van mijn gezicht.

'Moet dit gehecht?' Er wordt ernstig naar mijn gezicht gekeken. Zou ik verminkt zijn?

'Waar is mijn moeder?'

'We zijn met haar bezig. Straks brengen we haar naar u toe.'

Tado dood. Net zeiden we nog: Wat een troost dat we elkaar hebben. We moeten elkaar veel zien, elkaar vasthouden. O, lieve Johanna. Zou ze het al weten? Ik heb geen idee van de tijd. Het was zo'n innige avond. We dronken rode wijn bij de open haard. Ze had heerlijk gekookt. Wie had ooit kunnen denken dat het zijn laatste avondmaal zou zijn. Ik weet nog dat Tado, onze spannende neef, die altijd een beetje flirtte met zijn kleine nichtjes, langskwam met zijn nieuwe vriendin. Ze had iets van een meisje en dat is altijd zo gebleven.

'Pijn?'

'Heel erg.'

'We geven je iets.'

Ik krijg een injectie en meteen gaat er een golf van gelukzalige ver-
getelheid door me heen.

'Helpt het?'

'Ongelooflijk! Wat is dit?'

'Morfine.'

'We proberen het eerst met een hechtpleister.'

Ik durf niet aan de arts te vragen haar best te doen. IJdelheid is on-
gepast als het om leven en dood gaat. Ze drukt iets op mijn neus.

'Gebruikt u medicijnen?'

'Luminal. Tegen epilepsie.'

'Eerder in het ziekenhuis gelegen?'

'Hier, na een hersenbloeding. Op mijn dertiende.'

Mijn vader was helemaal in de war geweest, vertelde een collega
van hem laatst. Hij liep de verkeerde kant op, wist niet meer waar hij
zijn jas moest ophangen en waar de collegezaal was. Gelukkig
maakt hij dit niet mee. Ik zie de co-assistent weer voor me in zijn
groene pak die in mijn teen kneep vlak voordat er lucht in mijn her-
senpan werd geblazen. Toen lieten ze me kopje duikelen. Die on-
derzoeken doen ze nu niet meer.

'We gaan foto's maken.'

'Maar mijn moeder...'

'Die brengen we zo naar u toe.'

Haar bed wordt naast het mijne gereden. Ik lig plat op mijn rug,
mijn hoofd in een nekkraag die hard aanvoelt. We kunnen elkaar
niet zien.

'Mama.'

'Sietje.'

Haar stem, zo gewoon. Tranen in mijn ogen.

Iemand legt onze handen in elkaar.

'We leven.'

'Hoe is het met je?' vraagt ze.

'Het komt goed. Met jou ook.' Ik zeg niks over Tado, want ik weet niet of zij het weet.

Drieënhalve maand hebben we naast elkaar geslapen. Ze had een nieuw, zeer comfortabel bed gekocht voor als mijn vader thuis zou komen uit het ziekenhuis. Ik vond het zo droevig dat ze dat grote bed alleen moest inwijden en kroop op de plek van mijn vader.

'We zien elkaar gauw weer.'

'Dag liefje.'

'Dag schattebout.'

Ik wist toen niet dat ze meteen geopereerd zou worden.

Ze slepen me door tunnels en onder platen door. Licht flitst uit futuristische apparaten, vooral mijn hoofd wordt onder de loep genomen. Ik word van de ene ruimte naar de andere getransporteerd.

Dan staat er een jongeman met zwarte krullen aan mijn bed en een Maria-achtig meisje.

De jongen kijkt ernstig, het meisje glimlacht lief.

'Wij nemen je mee.' We gaan naar Traumatologie.

Ik kijk naar de voorbijglijdende plafonds van de ziekenhuisgangen. De donkere jongen en het blonde meisje duwen me voort zoals mijn moeder en ik mijn vader de laatste drieënhalve maand. Van zaal naar dialyse, waar ik zijn bloed zag kloppen in de slangen.

Ze rijden me een donkere zaal binnen en trekken de gordijnen dicht rond mijn bed. Pols en temperatuur worden gecontroleerd. Het meisje probeert een katheter in te brengen maar het lukt niet.

'Sorry,' zegt Herman, de verpleegkundige, 'ze heeft geen ervaring, maar wilde het een keer proberen.' Hem lukt het in een handomdraai.

Dan vraagt hij wie hij in moet lichten.

'Nu meteen?'

Hij knikt.

Het is halfvijf in de nacht, ruim vier uur na de klap.

'Mijn vader is net overleden, mijn moeder ligt hier. Mijn zusjes en broer. Ze schrikken zich rot. Is er direct levensgevaar?'

'Nee.'

'Ze kunnen nu toch niks doen.'

We wachten nog even.

Ik kan me niet herinneren wat er gebeurd is tussen die flits waarin ik die boom zag en het moment waarop ik wakker werd in het gras.

'Je zult wel uit de auto zijn gezaagd,' zegt Herman.

Om het halfuur komt hij kijken, controleert bloeddruk, pols, zuurstof. De nekkraag ligt hard, maar hij mag niet af, eerst moeten de foto's worden afgewacht. Waar zou mama nu zijn? Tado dood, mijn vader dood. Een aardbeving. Alles is anders geworden. Ik slaap niet.

Ik verontschuldig me bij mijn onbekende kamergenoten die ook uit hun slaap worden gehouden. Drie mannen. 'Geen probleem,' klinkt het vriendelijk, 'je doet het niet voor je lol.'

Tado, hij heeft ons zo getroost de laatste maanden. Hij leek op mijn vader omdat ze beiden op hun moeder leken, die zusjes waren. Dezelfde krachtige trekken, dezelfde diepblauwe ogen, sensuele mond en wilde haardos. Allebei hartstochtelijk, warm, zachtmoedig en vol humor.

'Jan is mijn liefste neef,' zei hij. 'En mijn grote voorbeeld.'

Tado kwam elke week, soms wel twee keer. De laatste keer was ik alleen thuis terwijl mijn moeder bij mijn vader in het ziekenhuis was. Hij zou een maagsonde krijgen omdat hij zo slecht at. Er werd gebeld aan het eind van de ochtend. Ik deed niet open want mijn hoofd stond niet naar bezoek maar toen ik boven uit het raam van mijn oude kinderkamer gluurde en zag dat het Tado was die terugliep naar zijn auto – zijn auto! – stormde ik naar beneden.

We hebben een fles wijn geopend en sigaartjes gerookt.

Hij vertelde dat hij spullen had opgehaald van zijn dochter Hanneke, in de Sinaïkliniek, waar ze woonde. Ik herinner me goed dat ik als kind met mijn moeder een bezoek bracht bij Tado en Johanna, die zwanger was, en dat ze vertelden dat Johanna rodehond had gehad.

'Hanneke was zo mooi,' zei Tado, 'met haar ogen kon ze alles zeggen. Als ze bij jou op schoot zou gaan zitten, zou ze naar je stralen en af en toe naar mij kijken om te zien of ik het goedvond. In de rouwdienst heb ik gezegd dat ze als een engeltje is gekomen en als een engeltje weer is gegaan. Altijd onschuldig gebleven. Je vader heeft een heel mooie brief geschreven.'

Hij was toen al te zwak om naar de begrafenis te gaan.

Tado ging met me mee naar het ziekenhuis, waar hij hartelijk en ernstig werd begroet door de artsen die ook zijn dochter hadden behandeld. Johanna kon het nog steeds niet opbrengen hier terug te keren.

De ingreep bij mijn vader was mislukt. Er bleek een maagzweer te zitten. Die moest eerst onderzocht.

Het loopje zit er nog in

'Nu wil ik toch echt de familie bellen,' zegt Herman. De dagdienst komt zo. Het is zeven uur.

Mijn zusje Catherine, want Mathilde is zwanger en mijn broer Onno heeft een zwangere vrouw.

Na Hermans inleiding krijg ik haar aan de telefoon. Ze huilt.

'Lieve schat, we leven.'

We zijn blij elkaar te horen. Ze komt zo snel mogelijk naar ons toe en zal de anderen inlichten.

Ik ben rustig, beschouw alles met gelatenheid. Dit is het leven. Dit is de mens. Zomaar vermorzeld, platgeslagen als een vlieg. Het is een wonder dat we er nog zijn.

Het hele leven is een noodsituatie, daar was ik altijd net zo van doordrongen als mijn vader. *Het is tussen twee stiltes even luid geweest.* Een van de dichtregels waar hij ons mee opvoedde. *Maar het einde van al is de dood.* Op mijn veertiende puilde mijn hoofd al uit van de verzen vol aftakeling en ondergang. Een rottende composthoop van bloemrijke taal.

Het is of deze ramp me meer verzoent met mijn vaders dood. Als je pijn hebt en je krachten laten het afweten, is de dood een troost, dat ervaar ik nu weer aan den lijve. Wanneer ik niet wist dat ik zou kunnen herstellen, zou ik nu liever ook de ogen sluiten. 'Noem de dood niet slecht als het leven goed is geweest,' liet Philips II op het graf van zijn vrouw zetten.

Een aardige internist, dokter Vos, komt me vertellen dat er zes ribben zijn gebroken, vele gekneusd en stukjes van wervels af, ook van mijn nekwervel. Mijn longen zitten vol bloed. Ze zullen een epiduraal aanbrengen, zodat de morfine direct het ruggenmerg in gaat. Dat werkt beter dan via het infuus in mijn pols. De pijn hindert de ademhaling. Ze zetten me wat rechter op om mijn longen meer ruimte te geven.

Ik mag op bezoek bij mijn moeder op de intensive care. Twee verpleegkundigen, leuke jonge vrouwen, duwen me door een labyrint van eindeloze gangen. Er zitten slangen in mijn armen en neus, net als bij mijn vader in het begin.

Achter de ramen is de hemel strakblauw, in de buitenwereld waar we niet meer bij horen. Het gebouw waar ik nu ben heb ik nooit van de buitenkant gezien. We stoppen voor een poort waar INTENSIVE CARE op staat.

Zo kort geleden waren we op die andere intensive care in Amersfoort. De eerste nacht dat ik bij mijn vader waakte en we nog vol hoop waren. De laatste, toen we hem wegbrachten voor de operatie.

De verpleegkundige die haar vandaag verzorgt, een jonge vrouw met kort donker haar, grote aandachtige reeënogen, vertelt dat mijn moeder een *haloframe* om haar hoofd heeft, een metalen staketsel. Haar nek is gebroken.

Ze ziet mijn schrik.

'Het kan weer helemaal goed komen. Ze heeft geen verlammingsverschijnselen.' Ze is vannacht ook aan haar been en heup geopereerd die gebroken zijn. Het been ligt nu in een tractie. Verder zijn haar pols en sleutelbeen gebroken.

'Maar het gaat goed hoor,' zegt Lettie lief en ze legt haar hand even op mijn arm.

Ze rijden me naar haar toe. Daar ligt ze tussen andere patiënten, van elkaar gescheiden door gordijnen. Elk bed is omringd door apparaten waar gepiep uit komt, luider en zachter, sneller en langzamer.

Mijn moeder heeft een enorme metalen kroon om haar hoofd die met schroeven in haar schedel vastzit. Haar gezicht is opgezwollen en ze is in diepe, kunstmatige slaap verzonken, met slangen in haar keel. Ze ligt aan de beademing. Dat was haar grootste angst: dat papa niet meer van de beademing af zou komen na de operatie.

Behoedzaam rijden ze mijn bed naast het hare. Ik kijk uit mijn ooghoeken, kan me niet omdraaien. 'Lieve mama, het komt goed,' zeg ik een paar keer terwijl ik haar arm en haar hand streel.

Als ze me weer wegrijden zegt Lettie: 'Je kunt elke dag even komen kijken.'

Allemaal mensen in het groen: de verdovers en pijnstillers. Wat een sympathiek beroep. Sommigen hebben groene, anderen paarse petjes op het hoofd.

Ze zetten me rechtop. Ik tril van de pijn en het zweet gutst langs mijn lijf. 'Ik ben niet kleinzerig, maar...' zeg ik half huilend. Een jonge vrouw in het groen houdt me vast terwijl een anesthesist de naald tussen twee rugwervels door in mijn merg duwt. De groene vrouw heeft met me te doen. Wat een geluk dat papa is verlost.

Ik voel de verdoving mijn lijf in stromen.

Als ik terugkom in de zaal, is mijn zusje er.

'Catherientje! Schatje!'

Wat ben je blij met de mensen die nog wél leven. Blij en verwonderd. Dat gevoel kende ik goed maar het is weer opgefrist.

Ze huilt.

'Meid, wat fijn dat je leeft,' zeg ik.

Ze lacht door haar tranen heen, schudt haar hoofd.

Ik doe verslag.

Zij zal de coördinerende rol op zich nemen. Mensen bellen, bezoek stroomlijnen, boodschappen doen, dingen ophalen thuis, tandenborstel, tandpasta, crème, borstel, walkman, muziek. Kleren hoeft niet, voorlopig dragen we het geeloranje operatiejasje en verder niks. Zij zal onze moederfiguur zijn. Telkens betrap ik me erop dat ik denk: Even tegen mama zeggen, even mama bellen, even mama vragen. Maar ze is onbereikbaar.

'Waarschijnlijk komt Johanna straks ook even. Ze wil zo precies mogelijk van jou horen wat er is gebeurd.'

Ze had haar vriendin Emmy gebeld, ook een vriendin van mijn moeder, toen Tado om één uur nog niet thuis was. Emmy woont vlakbij en was meteen gekomen. Twee minuten later stond de politie op de stoep.

Daar is Mathilde met dikke buik en betraand gezicht.

En Onno met zijn al net zo zwangere Giovanna.

Nog nooit heb ik me zo rijk gevoeld met deze broer en zussen.

Jantje en Pietertje staan beduusd te kijken. Wat moeten die jongens een raar wereldbeeld krijgen met al die ziekenhuizen.

De rampen begonnen in de auto op de Etna. Ik logeerde bij de ouders van mijn schoonzusje Giovanna en was bezig met een roman over het einde van een oude Siciliaanse psychiater, geïnspireerd op een vroegere geliefde die onlangs overleden is. Mijn broer Onno kwam, nadat mijn Cataniaanse passie allang gedoofd was, in Rotterdam Giovanna tegen, een meisje uit diezelfde stad, met wie hij trouwde.

Tijdens die logeerpartij liep ik weer door dat grootse decor waartegen mijn stormachtige liefde zich had afgespeeld, was naar het huis gegaan dat nu te koop stond. Met Onno en zijn gezin ging ik de vulkaan op en maakte dezelfde tocht die ik ooit beschreven heb in mijn eerste boek. Toen schreef ik dat Suzanne, mijn alter ego, hier nooit meer zou kunnen komen na de dood van haar Roberto. Wie had ooit kunnen denken dat ik nog eens familie zou hebben daar.

En toen ging Onno's mobiel.

Eenlettergrepige reacties.

Zijn stem is ernstig.

'Wie? Wat?' vraag ik bezorgd.

'Mama. Het gaat niet goed met papa.'

Ik slaak een kreet.

'Ja, we komen nu,' zegt Onno rustig.

Ik barst in huilen uit. De jongetjes kijken naar me met hun grote ogen.

De tranen stromen over mijn wangen. Ik huil als een kind.

Ook kleine Jan, net nog zo spraakzaam, zegt niks.

Dit kan niet, dit mag niet, dat papa doodgaat. Hij moet leven. We moeten hem zien. Ik weet dat het leven wreed en onredelijk is maar dit is onmogelijk. Was ik maar thuis gebleven in Amersfoort. Ik ging naar Italië om afstand te nemen van mijn Nederlandse geliefde. Nee, ik bel hem niet. Niet lang geleden dacht ik nog: wat een troost dat hij er is, als mijn vader er niet meer zal zijn. Maar nu, juist nu, voel ik dat hij het niet kan, mij troosten, voel ik dat zijn liefde niet groot en niet diep genoeg is, dat zijn liefde niet tegen de dood op kan. Dit soort troost doe je er niet bij. Nu is het alles of niks.

We gingen rechtsomkeert de vulkaan af naar beneden. We belden onze reisverzekering en binnen de kortste keren was de terugkeer geregeld. Met een overstap in Rome zouden we in de tweede helft van de avond in Amersfoort zijn. We belden naar het ziekenhuis. 'Ik verbind je even door met papa,' zei mijn moeder kalm.

'Erretje,' klonk het heel zwak. Een van zijn vele aanspreekvormen. Het was ook wel: malse duif, bloem, smodderbekje, begin van mijn kracht.

'Lieve papa, we komen naar je toe. Wat is dit nu? Zorg maar dat je in leven blijft. Nog heel lang.' Het had me gerustgesteld zijn stem te horen.

Daar zat ik met mijn broer, losgerukt van zijn gezin, in een businessclass-stoel op weg naar Nederland.

Tegen middernacht stonden we voor de ingang van De Lichtenberg waar we moesten aanbellen.

Onno herinnerde eraan dat papa meerdere malen gezegd had als we langs het ziekenhuis reden: 'Ze moeten maar boven de deur zetten: *Laat alle hoop varen gij die hier binnentreedt.*' Nadat mijn vaders eigen vader hier was overleden, had hij geschreeuwd tegen de artsen: 'Zelfs een olifant krijgen jullie in één dag dood!'

Daar is de internist, dokter Vos, weer met een andere arts, een orthopedisch chirurg. Ze kijken ernstig. Er zal toch niks met mama...

'We hebben nog eens goed naar de foto's gekeken en ontdekt dat uw eerste lendenwervel is gebroken.'

Ik merk dat de mededeling me niet veel doet.

'U zult geopereerd worden als u weer wat op krachten bent en uw longen het aankunnen. Tot die tijd platte bedrust.' Ze doen meteen mijn bed naar beneden. 'We verhuizen u naar de medium care want we zijn niet tevreden over het zuurstofgehalte in uw bloed.'

Ik word weer door de gangen getransporteerd, langs een portrettengalerij van belangrijke artsen onder wie de chirurg die in Amersfoort mijn vaders leven had moeten redden.

De zusters rijden me een lage ruimte in vol kerstversiering en er is zelfs een kerstboom. Vier bedden, door monitoren en andere apparaten omringd, staan in een halve cirkel.

Ook hier klinkt veelsoortig gepiep.

Ze dragen me over aan Jetske, een verpleegkundige van deze afdeling, wensen me het beste en zeggen dat ze uitzien naar mijn terugkeer.

Jetske schuift me tussen allerlei machines. Ze heeft niet alleen een Friese naam maar ook een overduidelijk Fries accent. Mijn vader sprak op het laatst regelmatig Fries, de taal van zijn jeugd. Ook met Tado.

We omhelsden mama, die heel rustig was, en ons zusje Catherine. Mathilde was die dag teruggekomen uit Frankrijk. Mama ging ons voor. Papa lag op de intensive care op een apart kamertje, door slangen verbonden met allerlei apparaten. Op een monitor gleden grafieken voorbij met getallen ernaast die me toen niets zeiden.

Hij was wakker, keek verrast, blij.

Ik kuste hem op zijn wangen, pakte zijn hand.

'Wat zie je er lieftallig uit,' zei hij. Ik droeg een Italiaanse zomerjurk. Zijn ogen stonden zacht. Meestal plaagde hij en deed ironisch.

Om beurten waakten Onno en ik aan zijn bed. De andere uren sliepen we op een bank in de gastenkamer, waar mama nu ook eindelijk een beetje kon rusten.

Ik keek naar zijn mooie gezicht terwijl hij sliep en naar de grafieken die zijn ademhaling, hartslag, zuurstof en bloeddruk weergaven. Ik legde mijn hand op de zijne.

Nu word ik zelf aangesloten op zo'n monitor.

Tegenover me, in een glazen hok, krioelt het van de verpleegkundigen. Ook in dat aquarium staan monitoren waarop ze onze hartslag, ademhaling, zuurstof en bloeddruk kunnen zien.

Toch nog een kerstboom.

Die kochten mijn vader en moeder elk jaar samen bij de boswachter, zo groot en zo vol mogelijk. Er stonden altijd echte kaarsjes in.

Dokter Vos met de muts van de kerstman op zijn hoofd maakt de rand namaaksneeuw vast waarmee het glazen hok is opgetuigd.

Daar is Loes, een hartsvriendin van mijn moeder, zwaar aangeslagen want ze komt net bij haar vandaan. En haar man Herman, die ik de laatste maanden dagelijks zag of aan de telefoon had omdat hij niet alleen een dierbare vriend is van de familie maar ook een begaafd internist, die zijn hele leven in De Lichtenberg gewerkt heeft.

'Dacht je dat je lekker met pensioen kon,' zeg ik.

Even later verschijnt de zus van mijn vader met haar man, de twee broers van mijn moeder met hun vrouwen, de twee broers van mijn vader, beiden dominee. Al die mensen die de laatste maanden langs mijn vaders ziekbed trokken.

Het loopje zit er nog helemaal in.

Ik kijk naar de gezichten van oom Ben en oom Wieger, naar hun handen, hun bewegingen om zoveel mogelijk van mijn vader terug te zien. Vóór zijn dood heb ik vaak gedacht: Later zal ik me daaraan vastklampen, zal dat extra betekenis voor me hebben.

Jetske komt zeggen dat het wel heel erg druk is. Eigenlijk mag het bezoek maar een halfuur blijven en niet meer dan twee tegelijk.

'Alleen de vrouw van mijn verongelukte neef verwacht ik nog.'

Een blonde man in witte jas komt naar me toe.

'Dag Rosita, ik ben Reinier Braams. We hebben nog samen toneelgespeeld.'

'Ach, natuurlijk! *Wie beeft is schuldig.*' Het lustrumstuk van het Utrechtse studentencorps. Over de Franse Revolutie.

'Heb ik jou niet vermoord?'

Ik speelde Charlotte Corday, die Marat doodstak in zijn bad.

Hij is internist, staflid van de intensive en de medium care, dus hij heeft zowel mijn moeder als mij onder zijn hoede. Een veilig gevoel.

Ik studeerde theologie hier een paar wolkenkrabbers verderop. Sinds mijn hersenbloeding was ik erg bezig met de grote vragen. Maar ik speelde ook toneel en had feesten en bals in de binnenstad.

Mijn vader had me een keer zien lopen, 's ochtends om negen uur, in mijn baljurk toen ik met vrienden en vriendinnen, allen in avondtoilet, ging ontbijten na een galafeest. Het huis van de ouders van een van de studenten lag vlak bij het Instituut voor Neerlandistiek, waar mijn vader college ging geven.

'Hoeveel balletjes krijg je al omhoog?' vraagt Reinier wijzend op de *triflow*, een plastic ding waar ik de lucht uit moet zuigen om mijn longen te trainen.

'Eentje een heel klein beetje.'

'Goed oefenen. We zijn pas tevreden als je ze alledrie in de lucht weet te houden.'

De toestand van mijn moeder is ernstig maar stabiel, vertelt hij.

Daar is Johanna.

In een volledig ander leven dan gisteren.

Wat een andere sfeer straalt het zwarte jurkje uit dat ze draagt. Gisteren modieus, sexy, werelds, koket met het witte schortje. Nu ernst en rouw.

Ze is rustig. Net als ik nog verbijsterd en verdoofd. Maar ook met een bijna filosofische blik, je staat midden in het drama en kijkt tegelijk van een grote afstand. Dit is het leven, dit is de dood.

'Ik werd steeds bezorgder, heb ingesproken op jullie antwoordapparaat. Om één uur heb ik Emmy gebeld. Die was er meteen. Twee minuten later werd er aangebeld door de politie. Toen wist ik het. Emmy is bij me blijven slapen. Heb je niets vreemds aan hem gemerkt?'

'Helemaal niet. We zaten rustig te praten. Ik weet zeker dat hij het zelf niet heeft beseft.'

'Dat is een grote troost voor me. Hij is thuis. Inderdaad is de uitdrukking op zijn gezicht rustig. Het was geen hartaanval, dat is onderzocht.' Misschien iets in zijn hoofd. Ze heeft zijn schedel niet laten lichten. 'Ik wilde hem ongeschonden thuis hebben.'

'Hij zei dat hij zo blij was dat hij de rouwdienst voor Hanneke zelf had kunnen leiden.'

Ze kijkt me ernstig aan. 'Ach, dus hij had het over Hanneke... Ik zei nog: "Kruip maar lekker tussen Margje en Rosita in."'

'We hadden het er ook nog over dat je mee zou gaan.'

'Hoe vond je hem tijdens het eten?'

'Gezellig, niks aan de hand.'

'Ik vond hem twee keer een beetje traag in zijn reacties, heb hem nog aangestoten onder tafel.'

Ik zie die mooi gedekte tafel weer voor me, Johanna en Tado tegenover mijn moeder en mij.

'Hij was zo dol op je: "Johanna is altijd meisjesachtig gebleven," zei hij. Hij vertelde geamuseerd hoe jij, voor je wegging, hem eerst goedendag kuste en dan je middelvinger opstak.'

Johanna glimlacht: 'Ja, dat is één keer gebeurd. Daarna werd het een van zijn favoriete anekdotes. Hij hield van dat samengaan van vilein en lief.'

'Net als mijn vader.'

'Zijn grote voorbeeld.'

'Hij zei ook dat hij altijd kleren voor je uitzocht. Vaak in Parijs. "Ik loop langs de rekken en zie meteen wat haar mooi staat."'

'Ja, het was altijd raak,' zegt ze. 'Ik had zo verwacht oud met hem te worden. Ik zei altijd: "Je wordt negentig." Aan de andere kant: hij was zo jongensachtig, hij zag er ook tegen op een oude man te worden, dat is hem bespaard.'

'Wat is ons leven veranderd.'

'Dit is het leven,' zegt Johanna.

'Tado drong erop aan dat hij ons zou halen en brengen. Mijn moeder rijdt altijd zelf maar hij zei dat hij ons wilde vertroetelen.'

'Ja, dat wilde hij. Hij was heel erg bij jullie betrokken.'

'Het was altijd fijn als hij langskwam. We hadden ons zo verheugd op gisteren.'

Tado zal worden begraven door een collega uit de psychiatrische inrichting waar hij werkte als pastor. Ze zullen dezelfde muziek spelen als bij mijn vader: *Schlummert ein* van Bach.

's Avonds, terwijl Jetske me een bakje yoghurt voert waarbij ik denk aan hoe ik kortgeleden mijn vader voerde, wordt er een bed binnengereden gevolgd door vrouwen met hoofddoekjes.

Even later hoor ik dat mijn nieuwe buurman, Hassan, zijn nek heeft gebroken doordat hij tegen een boom is gereden.

'Nieuwe zuurstof bij mevrouw Achterberg,' zegt een vrouwenstem.

Tegen de man aan mijn andere zijde hoor ik een dokter zeggen: 'Het is niet zeker dat u na de operatie van de beademing afkomt dus u moet nog maar goed met uw familie praten.'

Ik slaap weer slecht, ook al ben ik erg moe, ik heb pijn en mag me niet bewegen, kan het ook niet.

Het is druk rond het bed van mevrouw Achterberg. Meneer Achterberg is er ook. Hij is heel lief voor haar.

Nu ligt mijn voormalige geliefde in de armen van een ander.

Gepiep als een hart een sprong maakt of een ademhaling hapert. Rustgevend gepruttel van de zuurstof. In het glazen hok van de verpleging brandt gedempt licht.

Ik word wanhopig van de pijn. Dennis zet de morfinepomp een beetje hoger.

Gelukkig is mijn vader verdere pijn bespaard.

In de vroege ochtend vult het aquarium zich met mensen in het wit. Veel mannen. Wie zou er vandaag voor me zorgen? Het is hier één op één.

Boomstamdraai

'Hallo, ik ben Marcel,' zegt een lange slanke man van even in de veertig terwijl hij me een hand geeft. 'Ze zeiden: die is voor jou, een schrijfster.' Hij schrijft toneelstukken voor kinderen.

Hij wast me.

Zelf heeft hij twee kinderen.

Er moet iemand helpen om me op mijn zij te draaien.

'Veel mannen hier,' zeg ik als ik Rob een hand heb gedrukt.

Komt door de combinatie van mensen en apparaten. Op de intensive care werken relatief ook veel mannen.

Die stoere zorgzaamheid ontroert me.

'Boomstamdraai,' zegt Marcel en op die manier leggen ze me om. Ik slaak een kreet van pijn.

'Doorgaan met ademen,' zegt hij.

Snel haalt hij een washand over mijn rug en billen. Ik huil van de pijn.

'Dit kan zo niet,' zegt Marcel kordaat. 'Kijken of we daar wat op kunnen verzinnen.' Hij mompelt iets tegen Rob.

'Wacht maar.'

Even later komt hij terug met een spuit en duwt die in mijn dij. Vrijwel meteen trekt de pijn weg.

'Jemig!'

'Daar wordt op Hoog Catharijne veel geld voor betaald.'

Bij het terugdraaien voel ik bijna niks.

'Fentanyl, het werkt kort maar krachtig.'

Mijn botten zijn straks misschien wel aan elkaar gegroeid maar dan kan ik meteen door naar een afkickcentrum.

Een baby ben ik, net als papa de laatste tijden.

Marcel smeert me in met olie omdat de lucht hier zo droog is. Ook mijn voeten. Ik denk aan de mooie voeten van mijn vader die ik masseerde met olie. Het ontspande hem. Een van de weinige dingen die ik voor hem kon doen.

'Het plassen gaat goed,' zegt Marcel als hij de katheterzak heeft geleegd.

'En als ik iets anders moet?'

'Op het matje.'

'Het matje?!'

Hij trekt even aan de stevige doek die onder me ligt.

'Echt? Dat kan ik niet.'

'Hoe wou je het anders doen? Stel je niet aan, daar zijn we voor.'

Mijn vader vond het ook zo erg om zich te laten wassen en verschonen. Hij was zo preuts. Ik dacht dat dat zijn psychisch evenwicht verstoord had.

Na een paar dagen leek de ergste crisis bestreden en mocht mijn vader van de intensive care naar de hartbewaking. Die nacht sliep ik in een kamertje naast hem. Toen ik 's ochtends bij hem kwam, keek hij me verrast en blij aan. Hij vroeg: 'Waar zijn we eigenlijk?'

'In De Lichtenberg.'

'Ach, in De Lichtenberg,' zei hij nadenkend.

'Vlak bij huis.'

'Laten we daar dan heen gaan.'

'Eerst moet je helemaal beter worden maar het gaat de goede kant op.'

Hij kon zich niks meer herinneren.

'Je had ineens heel hoge koorts, een bacterie op de hartklep.' Mijn vader was al verzwakt door anderhalf jaar nierdialyse. 'Onno en ik zijn uit Sicilië gekomen.'

Hij keek verbaasd en peinzend. Ik herkende die manier van kijken van na een toeval, alsof je terugkomt uit een andere wereld.

'Dit moet betaald worden. Heb ik wel een pasje bij me?' Het ontroerde me zo, dat zijn verantwoordelijkheidsgevoel hem zelfs op dat moment niet verliet.

'Dat hoeft niet, papa, dat wordt door de verzekering geregeld.'

'Denk je dat echt?' en hij keek me aan met grote blauwe ogen.

Toen hij verhuisde naar een zaal werd hij opstandiger en wilde weg. Daarom bleef er elke nacht iemand bij hem slapen. We waren bang dat hij 's nachts op stap zou gaan en bijvoorbeeld van de trap zou vallen.

Op een nacht zou Onno bij hem blijven logeren.

Toen mijn moeder, Mathilde en ik nog even langskwamen om welterusten te zeggen waarschuwde Onno: 'Doe maar niet want hij is hartstikke gek.' En ons verschijnen zou de opwinding nog maar groter maken. Hij waande zich midden in de Eerste Wereldoorlog en wilde onmiddellijk naar het munitiedepot.

Wij wachtten in een gastenkamer waar Onno af en toe verslag kwam doen van het front.

Dokter Halkes, die nachtdienst had, werd erbij geroepen, een aardige toegewijde internist, niet verstoken van gevoel voor humor.

Mijn vader had dokter Halkes verteld dat hij die laffe Scheldenaren eens flink aan zou pakken.

Halkes had kalm gereageerd: 'U bent een heel dappere strijder, maar nu bent u moe gestreden en is het tijd om te rusten zodat u er morgen weer met volle kracht tegenaan kunt.'

Mijn vader had rustig geluisterd. 'Dat is goed,' had hij gezegd, 'maar niet voordat ik,' en hij had met vonkende blik naar zijn lieve zoon gekeken, 'de kop van die laffe Vlaamse verrader eraf heb gehakt.'

Er werd getelefoneerd met de psychiatrische afdeling, die haldol voorschreef. 'Waarom kan er niet even een psychiater langskomen?' zei Mathilde, die psychotherapeute is, opgewonden. Met een verhit hoofd zat ze op de trap midden in de nacht haar psychiatervriendjes te bellen om de kwestie voor te leggen. Haldol leek hen ook het beste. Dit waren de symptomen van een delier, een staat van verwarring waarin mensen wel vaker komen na een periode op de intensive care.

Uiteindelijk is het toch gelukt mijn vader in bed te krijgen.

Even later zagen we Onno over de gang wegsluipen met bestek.

'Tja, hij ligt nu wel rustig te slapen maar als hij straks wakker wordt en hij ziet dat mes.'

Soms wist je niet of het scherts was of ernst. Vooral mijn moeder vond het heel erg want hij was altijd zo ongelooflijk scherp. Kort tevoren had hij de vertaling afgerond van De contemptu mortis, een moeilijk, Neolatijns boek van Daniel Heinsius over de doodsverachting. Ik stelde haar en mezelf voortdurend gerust: het komt goed.

Een keer kwamen we binnen en had hij een slang voor sondevoeding in zijn neus. 'Hebben de antiprotestanten gedaan, dat ding door mijn neus geboord. Er is nu een onderzoek ingesteld.' Hij was voortdurend aan het front. Zo sterk hadden de oorlogen zijn leven gestempeld. Toen de Tweede Wereldoorlog uitbrak was hij dertien. Zijn hele middelbareschooltijd werd erdoor bepaald. Op zijn twintigste werd hij 'in zijn kraag gegrepen en naar Indië gestuurd om het Nederlandse wereldrijk te redden', zoals hij het zelf noemde. Hij had net zijn kandidaats Nederlands en moest de oorlog in.

Hij sprak er niet vaak over. Maar één keer, toen we in de bioscoop naar de film Gandhi keken, zag ik de tranen over zijn wangen stromen. Hij vertelde dat hij had gezien hoe Nederlandse soldaten zomaar het vuur openden op vrouwen die vruchten stonden te verkopen. En hoe een jongen, verminkt en gecastreerd, smeekte om doodgeschoten te worden.

Op een reünie van oud-Indiëstrijders zei iemand: 'De soldatenkist van Jan Steenbeek zat vol dichtbundels.'

Ik lig plat op mijn rug maar heb het erg druk. Het is een voortdurend komen en gaan van mensen. Een neuroloog bekijkt mijn dove plekken, op borst en schouder. Hij denkt dat die veroorzaakt zijn door de autogordel, die wel mijn leven heeft gered. Reinier Braams, de internist, verschijnt weer aan mijn bed, met een orthopeed. Ze willen nog een foto van mijn longen laten maken en een scan van mijn rug. Marcel begeleidt me, door gangen die uitkomen in grote hoge hallen, waar de zon door glazen daken naar binnen schijnt, en onder palmen door en andere mediterrane gewassen. Ik zie het Siciliaanse strand weer voor me met mijn vrolijk spelende neefjes. Beelden van zo kort geleden maar toebehorend aan een ander levenshoofdstuk. Mensen loeren naar me, zoals ik dat kortgeleden ook wel deed als er een bed voorbijrolde in De Lichtenberg.

Marcel is doortastend en zorgzaam. Hij praat met de radioloog. 'Ze heeft veel pijn. Voor we haar overtillen geef ik wat fentanyl.'

Weer voel ik me een ding, waarover beslist wordt, dat wordt verplaatst, opgetild, een tunnel ingeschoven, gefotografeerd, maar het heeft wel iets prettigs om van alle verantwoordelijkheid verlost te zijn, na de zorgen, angsten, twijfels van de afgelopen tijden.

Ik ben een baby in een veilige couveuse. Niets hoef ik, alleen eten en drinken wat ze me aanreiken. Zelfs omdraaien doe ik niet zelf. En ik verveel me geen moment; ik kijk en luister. Het is alsof ik in een theaterstoel lig en er voortdurend een drama aan me voorbijtrekt.

'Kun je je armen omhoog doen?'

Terwijl ik ze boven mijn hoofd leg, zegt Marcel: 'Wat een prachtige kleuren, je kunt wel zien waar je de klap hebt gehad. Waarschijnlijk heb je in een reflex je armen omhoog gedaan.' Mijn bovenlijf is bont en blauw. Er zit een grote wond op mijn arm en een bobbel. Bloed, zeggen de artsen. Mijn hand is beschadigd. Wat zou papa dat erg hebben gevonden.

Een paar uur later komt de chirurg langs die me zou opereren. Hij heeft de foto's bekeken en zegt dat de operatie niet zonder risico is, het kan zijn dat ik later meer pijn krijg. Persoonlijk neigt hij tot de optie: twee maanden plat op de rug, in een gipskorset.

Het is mij best.

Diezelfde middag nog vervoert Marcel me naar de gipskamer. 'Als ze zo veel pijn heeft neem haar dan maar weer mee,' is het laconieke commentaar van de gipsmeesters. 'Ze moet een halfuur op haar buik liggen. Kom volgende week maar terug.'

'Een dominee,' zegt Marcel. 'Maken ze zich zulke zorgen? Met een vrouw. Wat oudere mensen.'

Het is geen bezoekuur, maar zielenherders mogen op elk tijdstip binnen.

Piet en Hyke. Weer een déjà vu. Piet kent mijn vader sinds de eerste klas van het gymnasium. Ze zijn altijd bevriend gebleven. Soms zagen ze elkaar jaren niet, maar de laatste maanden heeft hij zich ontpopt als een van onze grootste troosters. Hij kon zijn oude beroep van ziekenhuispredikant weer ten volle uitoefenen. Piet heeft de afscheidsdienst geleid bij ons thuis, een prachtige, zeer persoonlijke meditatie gehouden.

Ze zijn net bij mijn moeder geweest.

'Ze lag diep te slapen. Ik heb een gebed voor haar gedaan, dat wil ik ook voor jou doen.' Hij vouwt zijn handen op de rand van mijn bed zoals hij dat onlangs nog deed aan het bed van mijn vader.

'God, U heeft er wel een potje van gemaakt. We begrijpen er helemaal niks van. Ik ben eigenlijk gewoon boos op U.'

Ook aan het ziekbed van mijn vader bad hij altijd recht voor zijn raap. 'God, het is voor U toch een peulenschil om Jan beter te maken. Ruk hem nou niet weg bij dat lieve gezin.'

Na afloop van de ziekenhuisbezoekjes kwamen ze thuis napraten.

'Ik ben zo dol op dat joch,' zei Piet. 'Ik zie hem daar nog zitten in de schoolbank, als tienjarige knaap, met zijn korte broek en hoge schoenen.' Mijn vader was twee jaar jonger dan Piet. 'Hij was de kleinste en de jongste maar geleidelijk groeide hij ons geestelijk allemaal boven het hoofd. Hij wist zoveel. Langzaam maar zeker kwamen we daarachter, hij liep er niet mee te koop.'

In de pauze wandelden ze altijd met vier vrienden in de buurt van de school. 'We hebben daar een gevaarlijk incident beleefd. Een Duitser wilde Jan aanvliegen omdat die bij het zien van de ss-uniformen op de grond had gespuugd. Toen heb ik meegemaakt hoe furieus Jan kon zijn. Als wij hem niet vast hadden gehouden zou het zeer kwalijk hebben kunnen aflopen.'

Piet had een broertje gehad, een jonger broertje, die heette Jan en was gestorven toen hij drie maanden was. Hij herinnerde zich het kleine kistje dat de trap af werd gedragen. 'In jullie Jan had ik mijn broertje teruggevonden.'

Piet en Hyke zijn nog niet weg of daar is de volgende dominee: Jan van der Eijk, de wijkpredikant van mijn ouders die de rouwdienst voor mijn vader heeft geleid in de kerk. Het is weer net zo'n oploop van predikanten als bij papa, waar er een keer zeven op één dag langskwamen, allemaal buiten bezoekuur.

Ook hij bidt met me, zijn handen gevouwen op de mijne. 'God, dat er vonken van licht door het duister heen mogen breken.'

'Rosita, zullen we nog even?' roept een zaalgenoot, een oudere heer die ook een triflow in zijn maag gesplitst heeft gekregen.

En daar gaan we.

Er klinkt vrolijk getik van de ballen.

'U al twee!' roep ik tegen de man, die morgen geopereerd zal worden. 'Ik kom niet verder dan één, een klein beetje!'

De nachten worden verlicht door de lampjes van de kerstboom en de monitoren. In het schemerige aquarium zit Engelien een boek te lezen.

Vooral 's nachts, als er minder afleiding is, ben ik soms wanhopig door de pijn en het niet kunnen bewegen. Dan zetten ze de morfinepomp wat hoger en geven me een extra slaappil. De pijn maakt het iets gemakkelijker vrede te hebben met mijn vaders dood. Wat een pijn had hij moeten lijden door die operatie.

Het leek beter met hem te gaan, de bacterie raakte bedwongen en er had zich geen abces gevormd op de hartklep. Nu was het een kwestie van aansterken maar omdat hij zo slecht at zou hij tijdelijk een maagsonde krijgen. Er zou een dun slangetje door de buikwand naar binnen worden gebracht.

Na het ingreepje zocht ik hem op.

Hij keek fel uit zijn ogen, waarvan het blauw mooi werd geaccentueerd door het blauwe operatiehemd.

'Ik heb alle dokters weggejaagd.'

'Hoezo?' Intussen tilde ik de deken op om te zien of er een slangetje in zijn buik zat. Nee.

'Wat stom. Ze doen zo hun best voor je.'

'Onzin.'

'Ze hebben je weggesleurd van de rand van je graf.'

'Klets niet zo.'

'Je kwaal is over, nu is het een kwestie van aansterken door voeding.'

'Ze laten me hier verhongeren.'

'Hou op, er wordt hier voortdurend voedsel binnengedragen maar jij weigert dat. Ook de hapjes van mama eet je nauwelijks.'

'Lieg niet! Ze hongeren me hier uit.'

Voor andere bezoekers was mijn vader weer allerliefst. 'Ze zeggen alleen maar verstandige dingen.' Wat kunnen zieken toch vervelend zijn.

Bij een tweede poging de sonde in te brengen ontdekten ze die maagzweer.

Ik logeerde een nachtje bij Mieke in Amsterdam, sliep naast haar in het grote bed. Toen ik 's ochtends wakker schrok van de telefoon dacht ik even dat ik naast mijn moeder lag.

Het was mama die belde; de dokters wilden praten, en met mij erbij leek hen beter. Dat vond ze verontrustend.

Ik haastte me naar Amersfoort.

De maagzweer bleek een tumor.

Mama en ik sloegen de armen om elkaar heen en huilden, aan die lange tafel met mensen in het wit. De specialist reikte ons zakdoekjes aan.

De tumor was klein en misschien via de slokdarm te verwijderen.

Weer krabbelden we overeind en kregen nieuwe hoop.

Het bleek niet mogelijk, maar een operatie door de voormalige hoogleraar van het UMC van Vroonhoven, die ook prins Bernhard in leven had weten te houden, zou wellicht de redding zijn.

Natuurlijk, na die lange strijd, dat gevecht voor zijn leven, ontberingen, ellende, moest deze laatste hindernis genomen worden.

Mijn vader reageerde zo kalm, zo stoïcijns, heldhaftig.

Ook al zou de operatie gelukt zijn, de nierdialyse zou nooit stoppen. De shunt, de aansluiting in zijn arm voor het spoelapparaat, zou het onherroepelijk weer hebben begeven en dan hadden we op een bepaald moment het besluit moeten nemen om op te houden met dialyseren, wat zou betekenen dat hij langzaam weg zou glijden en hoogstens twee weken te leven zou hebben. Bewust afscheid nemen is hem en ons bespaard.

Soms zak ik weg in een staat tussen dromen en waken. Langzaam trekt een donkere stoet voorbij van lage, kleine kistjes met bloemen erop. Eerst lijken het doodskistjes, maar het blijken kleine schatkistjes vol herinneringen. Ik zie voorwerpen uit mijn jeugd, een stoffen beertje, plastic beestjes voor in bad, de pop Bella die ik verwaarloosde. Het wandkleed dat mama had gemaakt en in de hoek hing waar mijn zusjes en ik speelden. De draden die we in de kamer spanden waarmee we elkaar briefjes stuurden, meestal uitnodigingen voor kraamvisites. De roze blaadjes van de prunus die mijn vader op ons liet neerdwarrelen door aan de stam te schudden. De Flintstone-auto, het dubbelgevouwen luchtbed waarmee we van de trap naar beneden roetsjten. Beelden uit die veilige avontuurlijke kindertijd, goed bewaard.

Elke dag komt er een zusje of broer. Ze hebben het druk met telefoneren. Nu bellen ze voor ons en gaat het over onze toestand zoals wij tot voor kort voortdurend verslag van papa deden. Een echt 'kluwengezin', volgens Mathilde. Als de een iets aan de ander vertelde wist binnen de kortste keren iedereen het. De banden waren zo hecht dat het altijd een obsessie voor me is geweest: wanneer valt de eerste klap? Wanneer wordt deze heelheid gebroken?

Daar is Catherine, ze is net bij mama geweest. Haar ogen stonden frisser, zegt ze, straalden toen ze haar zag. Wij waren ook altijd zo blij als in de prachtige donkerblauwe ogen van mijn vader, die op het laatst vaak zo dof stonden, alsof hij ons niet meer zag, ineens die felle fonkeling terug was.

Mama had in haar hand geknepen. Catherine had met haar hoofd op mama's borst gelegen en mama had haar rug een beetje geaaid. Dat was erg geruststellend geweest. Een moederpoes met haar jong.

Ze heeft nu een bord met het alfabet, waarop ze letters kan aanwijzen. Ze wees de R aan.

'Rosita?'

Ze stak haar vinger omhoog, wat ja betekent.

Catherine had verslag gedaan. Mama was geschokt maar ook blij dat het weer goed zou komen.

Opnieuw wees ze de R aan. Dat had Catherine raadselachtig gevonden. Ze doelde op Robert, de man van Mathilde. Misschien haalde ze Robert en Tado door elkaar. Catherine had erg getwijfeld of ze uit zichzelf had moeten zeggen dat Tado overleden was. Gelukkig heeft ze dat niet gedaan.

Er stappen twee in het groen gehulde mannen binnen. Die zullen de buurman wel komen halen. Nee, ze komen naar mij. 'We zijn van het pijnteam en willen even naar het epiduraal kijken.' Na een verdovende injectie word ik op mijn zij gedraaid en als ze me weer terugdraaien zeggen ze: 'Twee mededelingen: het epiduraal lekt en moet eruit.'

Ik schrik.

'Mededeling twee: hij is er al uit.'

Rob had een grote vlek gezien in het laken maar niks gezegd. Het was ook iets ontstoken en dat is gevaarlijk. Dit verklaart waarom ik zo veel pijn had. Gelukkig krijg ik geen nieuwe maar gaat de morfine weer door het infuus.

's Avonds brengt Marcel me even naar mama. Ze kijkt vrolijk en knijpt in mijn hand, lacht naar Marcel en steekt haar duim omhoog.

'Die duim, prachtig,' zegt Marcel als we weer terugrijden naar de medium care. 'Ze gaat het redden.'

Mijn twee zusjes en mijn broer, wat een rijkdom hen alledrie tegelijk binnen te zien komen.

Ze zijn op de begrafenis van Tado geweest.

Drommen mensen, van wie velen een maand geleden op de begrafenis van papa waren. Het orgel speelde dezelfde muziek.

Alle drie de zonen hebben iets gedaan, gelezen, gesproken, gemusiceerd.

'Iedereen vroeg naar jullie.'

We krijgen heel veel liefs van tante Jel, Tado's moeder. Johanna was sterk.

Vreemd dat mama vlakbij is en nergens van weet.

'Ik zag een stapel van je laatste boek in de kiosk beneden,' zegt Onno. 'Dat is mijn zusje,' zei ik, 'ze ligt hier.'

'O, wat ontzettend leuk!' had de verkoopster geroepen.

Ik drink uit een tuitbekertje, net als onze vader.

Een verpleegkundige komt me een tromboseprikje geven, dezelfde als papa elke dag kreeg.

We krijgen de slappe lach die soms even in huilen overgaat.

De herhaling is een basiselement van het komische, heb ik ooit geleerd.

'Die meneer naast me heeft zijn nek gebroken. Tegen een boom gereden.'

Kerst

Het gaat beter met de zuurstof en het eerste balletje krijg ik al tegen het plafond, dus de co-assistente die op kerstavond dienst heeft vindt dat ik maar terug moet naar Traumatologie. Dat is op zich verheugend en een stap voorwaarts maar ik vraag of die verhuizing niet tot morgenochtend kan wachten.

Nee, dat kan niet.

Maar waarom niet, er gebeurt nu toch niks? Ik voel me hier thuis na een week, heb een band met de verpleging, met de kerstboom en de ijspegels van papier. Dat is niet echt een argument natuurlijk, maar op kerstavond wel, vind ik. Mijn vader is dood, mijn moeder onbereikbaar.

Nee, er kunnen onverwacht mensen naar de medium care moeten.

Dan kan ik toch op dat moment afgevoerd worden?

Ze houdt voet bij stuk.

En daar ga ik, als een voorwerp getransporteerd naar een ander hok. Ik ben razend op die trut, dat starre gebaas.

Op Traumatologie denken de schatjes me een plezier te doen door me op een eenpersoonskamertje te leggen. In het gewone leven had ik het fijn gevonden, maar dit is geen gewoon leven. En vanavond al helemaal niet. Op dit kleine kale snertkamertje zonder kerstboom of zelfs maar een kerstbal voel ik me totaal verloren. Reinier Braams of dokter Vos hadden me dit niet geflikt.

Ik houd van de absurditeit van een ziekenhuiszaal, wildvreemden met wie je ineens de grootste intimiteiten deelt, die lotgenoten worden.

Er is ook meer inloop van verpleegkundigen. Ik zou nooit bellen voor een glaasje water, maar als ze toch een kamergenoot een prik komen geven of op de po zetten kan het in één moeite door. Als ik me wil afsluiten zet ik mijn walkman wel op.

Ik stort mijn hart uit bij zuster Hannah, die er wel begrip voor heeft. Er is nog plaats op andere zalen. Kamer dertig lijkt haar het geschiktst, daar ligt een jonge man met een kaalgeschoren hoofd die een motorongeluk heeft gehad. Hij is aardig, nee, niet druk. En een vrouw, ze is caissière bij Albert Heijn, ook heel sympathiek. De andere zaal waar plek is lijkt haar minder geschikt, daar ligt een dame die erg zeurt. Vrouwen kunnen beter tegen pijn dan mannen, zegt ze, maar mannen zeuren minder.

Hopelijk lig ik over een poosje met mama op een kamer.

Hannah verhuist me naar een vierpersoonszaal, ook zonder kerstboom of kerstversiering.

Ik heb net mijn plaatsje ingenomen naast Erik, de motorrijder, en tegenover Ida, als er twee plastic zakken worden gebracht met de kapotgeknipte kleren van mijn moeder en van mij, die zonder dat ik het wist op de medium care hadden gestaan. Bij mijn flarden zitten wel kapotte bebloede kousen maar geen schoenen. Zouden die in het autowrak liggen of in het gras? Ik zie weer hoe we ons verkleedden aan twee kanten van het grote bed, voor het avondje waar we ons zo op hadden verheugd.

'Bij mij hebben ze mijn kleren ook stukgeknipt,' zegt Erik. 'Ik had net een nieuwe broek.'

Mijn kamergenoten kijken naar de televisie. Ik ook, maar hij is uit. Ik kijk naar de weerspiegeling in het beeldscherm. Het is net of ik in een romantische tuinkamer lig. De kaarten op de wand achter mijn bed lijken schilderijen. Ik luister naar muziek uit dezelfde walkman die mijn vader kortgeleden nog op zijn hoofd had. Lezen was altijd zijn grootste troost, maar op het laatst was dat muziek. Veel Bach. Cantates. 'Beter dan al dat gelul,' bromde hij.

's Nachts zorgt Maarten voor ons. Ik vraag hoe laat het is.

'Twee uur.'

'Zo laat al?'

'Als je lol hebt gaat de tijd snel,' antwoordt Maarten droog.

'Wat kan jij pissen zeg,' zegt Erik tegen onze overbuurvrouw.

'Jij kan er ook wat van,' reageert Ida. 'Ik dacht dat ik in de bergen was, bij een klaterende beek.'

'Ja, ik ben wel blij, voor het eerst in een fles.'

Bij mij loopt het geruisloos in de zak die naast mijn bed hangt. Die zorg heb ik in elk geval niet.

'Begin je weer, Ida?' zegt Erik.

'Ja, sorry, nu we het erover hebben.'

'Er is altijd een zeikerd bij.'

'Je vraagt je af wat voor zin het heeft,' zegt Ida filosofisch, 'je giet het er vanboven in en het loopt er aan de andere kant weer uit.'

Erik lacht: 'Kijk haar, op haar troon.'

Op kerstochtend komen een heer en een dame me ophalen en brengen me naar het stiltecentrum. Op het papiertje waarop ik de vorige avond kon aangeven dat ik graag ter kerke wilde, las ik dat de dienst geleid zou worden door twee oud-dispuutgenoten van me, twee vrouwen, hervormd en katholiek.

De ronde, gedeeltelijk rode en met kerststerren versierde ruimte staat vol bedden en rolstoelen. Uit het orgel klinkt: *Komt allen tezamen, jubelend van vreugde.*

Alles is anders geworden maar de woorden van de kerstliederen en van het kerstevangelie hebben nog nooit zo vertrouwd geklonken.

Het waren diep ontroerende momenten als ik die laatste jaren tussen mijn vader en moeder in de kerk zat. Mijn vader zong altijd uit volle borst. Hij kon aan alles twijfelen maar hij bleef door dik en dun trouw. Een wilsbesluit.

Kortgeleden zat ik naast hem in het stiltecentrum van De Lichtenberg. Hij was erg zwak, te zwak om te zingen en soms sliep hij zelfs. Ik zong voor hem: 'Mijn adem is gebroken, mijn stem is zonder kracht. En toch zal ik U loven.'

Nu geldt dat voor mij.

God is een origineel scenarioschrijver.

Na de dienst ga ik mee koffiedrinken. Uit een tuitbekertje met een rietje.

Als ik aan de voorgangster vertel wat er is gebeurd, zie ik tranen in haar ogen.

Terug op zaal staat ineens Lettie aan mijn bed met rode kerstballen in haar oren.

'Wil je misschien naar je moeder? Zij zal het fijn vinden je te zien.'

Lettie had haar verteld dat ze wel eens kerkte bij dominee Steenbeek, de broer van mijn vader. 'Je moeder raakte geëmotioneerd.'

In een kwiek tempo vervoert ze me door de gangen naar de IC.

Acht ernstig zieke mensen liggen op een rij, van elkaar gescheiden door gordijnen. Lettie schuift, geholpen door een collega die een lichtgevende kerstmuts op zijn hoofd heeft, mijn bed tegen het bed van mijn moeder.

'Mama, we gaan samen kerstfeest vieren.'

Geen van beiden zijn we in staat om te draaien maar Lettie geeft me een spiegel en daarin kunnen we elkaar goed zien. Mama's ogen staan heel helder. We knijpen in elkaars hand. Ze wijst op haar neus, omdat ze wil weten waarom die pleister op de mijne zit.

'Hechtpleister, maar het komt goed.'

Ze steekt haar duim omhoog. Wijsvinger omhoog betekent 'ja', wijsvinger heen en weer betekent 'nee'.

Ik vertel over de kerkdienst.

Ze probeert te schrijven, maar ik kan het niet lezen. Het zijn vreemde krabbels terwijl ze zo'n fier, helder handschrift heeft. 'Als je met een vrouw met zo'n handschrift durft te trouwen ben je een held,' zei mijn vader.

'Het komt wel,' zeg ik.

Misschien wil ze weten hoe het met Tado gaat. Maar ze mag het pas horen als ze kan praten, als ze kan reageren. Dat hebben we met elkaar afgesproken.

Over het bed naast me aan de andere kant hangen een bruidsjurk en een sluier. Onno had het bruidspaar gisteren het stiltecentrum in zien gaan. De bruid lag op bed met een boeket in haar hand en werd gevolgd door een lugubere stoet andere bedden met ernstig zieken.

'Ik haal even de draden uit uw buik,' hoor ik een broeder zeggen.

Mensen liggen aan apparaten te leven, acht op een rij. Ik ben ertussen geschoven. Lettie zet mama's vingerdopje waarmee de zuurstof wordt gemeten even op de mijne. Te laag, vindt ze. 'Ik geef je wat zuurstof van de buurvrouw.' De bruid.

'Maar zij dan?'

'Ze ligt aan de beademing.' De bruid is stervende.

Ook de intensive care is versierd met engelenhaar en kerstballen, ook hier staat een kerstboom.

Lettie is allerliefst en stralend, ons kerstengeltje met de rode kerstbalbellen.

Piet en Hyke verschijnen. Piet vraagt of hij het kerstevangelie zal voorlezen maar tot onze verbazing doet mama haar wijsvinger heen en weer en kan Piet zijn bijbeltje weer in zijn zak steken.

Af en toe slapen we, of dommelen wat. Ik luister naar de geluiden die al vertrouwd gaan klinken, het gepruttel van de zuurstof, verschillende soorten piepjes, benauwd gerochel soms, het geruis van de sondevoeding dat zo geruststellend klonk aan het bed van mijn vader omdat we wisten dat hij opbouwende stoffen binnenkreeg. Lettie bevestigt een nieuwe zak Nutricia aan de standaard bij het bed van mijn moeder en geeft mij koffie uit een tuitbekertje.

Regelmatig zuig ik in de triflow een blauwe bal omhoog.

Als het gordijn even open is, zie ik aan het eind van de ruimte de glinsterende kerstboom.

's Avonds genieten de verpleegkundigen, in net zo'n van monitoren voorzien aquarium als op de medium care, van een kerstdiner, waarvoor iedereen een onderdeel heeft verzorgd. Tussen de gangen door sluiten ze mensen aan op de beademing, geven injecties of zetten een morfinepomp hoger.

Het licht is getemperd, kerstliederen en beroemde aria's klinken zachtjes uit een luidspreker.

Mijn infuus loopt niet meer goed door. Als kerstcadeautje krijg ik een nieuwe van de dienstdoende arts.

Dan een stukje tiramisu.

Als Lettie me nog een bekertje koffie geeft, doet mama haar hand tegen haar wang en sluit haar ogen even. Ze vraagt zich af of ik dan wel kan slapen.

'Ik kom wel aan mijn rust, mam, lig dag en nacht in bed.'

In het ziekenhuis zei mijn vader vaak dat hij thuis wilde koffiedrinken. Als ik in zijn studeerkamer zat te schrijven, kwamen mijn ouders altijd even bij mij de koffie tot zich nemen.

De laatste keer dat we met ons drieën koffiedronken was in de hal van De Lichtenberg. Mijn vader zat in een rolstoel en leek wat afwezig. De fysiotherapeut liep langs. We hadden gehoord dat hij mijn vader vaak oversloeg en riepen hem er even bij om te zeggen dat het zo belangrijk was dat hij zijn conditie verbeterde. 'Als hij zelf niet meewerkt, kan ik niks doen,' reageerde hij wat geërgerd.

'Gooi hem die koffie in zijn snuit,' mompelde mijn vader.

Spraakklepje en gipskorset

Mama had gevraagd naar de toestand van de bestuurder, vertelt Onno, die met zijn hoogzwangere Giovanna en de kindjes net van de intensive care komt.

Ik schrik. 'Jullie hebben toch niet geantwoord?'

Nee, ze hadden gezegd dat zijn toestand zozo is.

Kleine Jan had een toverstaf gevraagd voor zijn verjaardag, een echte, om opa weer levend te maken. Toen hij hoorde dat dat niet kon had hij hartverscheurend gehuild. 'Maar als ik dan een baby van hem maak en hij wordt opnieuw geboren?' 'Kan ook niet, lieverd.' 'Nou, dan moet hij opstaan met Pasen.' Pieter had gezegd: 'Opa is dood, hij ligt in een schatkist en slaapt tussen de planten.'

Erik, mijn buurman, gaat naar het rookhok.

'Nee, niet omdat ik een hekel aan die kleintjes heb, integendeel, ik doe kampen met moeilijk opvoedbare kinderen.' Hij wil naar huis, mist zijn poes, Ollie. Ja, de enige die hij mist is zijn poes. Ze zijn achttien jaar bij elkaar.

'Geen vriendin?'

'Nee. Ik reis veel.'

Je moet je niet te veel aan dieren hechten, dat weet hij wel, maar zijn poes ligt jankend op bed, vertelde zijn broer. Ollie mist hem ook heel erg.

Ze overwegen om een opening te maken in mama's hals wanneer ze haar van het beademingsapparaat halen. Een tracheostoma. Ik ben geschokt, want dat betekent dat ze voorlopig niet kan praten. Het is vreselijk om haar zo te zien worstelen met pen en papier, waarmee ze zo vertrouwd was.

Als haar vrienden Loes en Herman Hart verschijnen wijst mama op haar hals.

Herman legt heel rustig uit dat ze dat doen voor de veiligheid, want mochten ze toch weer moeten beademen, dan is het moeilijk de buis in te brengen omdat ze door het haloframe haar nek niet kan bewegen.

Zo gaf Herman mijn vader ook college over de dialyse, overtuigde hem ervan dat hij het toch moest doen. Mijn vader had zijn behandelend geneesheren tot wanhoop gedreven door nergens serieus op in te gaan en kalm te zeggen: 'Ik leg mij gewoon te sterven, al die drukte om zo'n oude vent. Ik reikhals naar het graf.' Ten slotte had hij zich laten overhalen door mijn moeder, die gezegd had: Doe het dan een jaar, als cadeau voor mijn verjaardag.

De volgende ochtend komt een zuster vertellen dat mama vannacht erg onrustig was. Ze vroeg om mij en zei dat ze naar haar net bevallen dochter moest.

'Ach, wat erg, jullie hadden me op moeten halen.'

'Jij bent ook zwaargewond.'

Maar nu kan de zuster me even brengen. Op weg naar de intensive care komen we dokter Vos tegen. Ze hebben net besloten dat mama een tracheostoma krijgt.

Er springen tranen in mijn ogen.

'Dan kan ze dus voorlopig niet praten?'

'We kiezen voor veiligheid.'

De verpleegkundige die haar vandaag onder haar hoede heeft, komt de deur van de intensive care uit en vertelt dat mama vanochtend opstandig was, haar pillen wegsloeg.

'Dat is niks voor haar,' zeg ik geschrokken. Zo kende de zuster haar ook niet. Ik huil, hadden ze me vannacht maar geroepen. Toch te weinig zuurstof, denken ze, daardoor kun je dit soort reacties krijgen.

Ik mag niet meer naar binnen want ze gaan de ingreep zo doen.

De zuster brengt me meteen door naar de gipskamer, waar ik de drie heren van de vorige keer aantref. Een loopt met een gipsen been onder zijn arm naar een aangrenzende ruimte, een ander prutst wat aan een haloframe.

Ruud vertelt dat veel gipsmeesters voormalige intensive-careverplegers zijn. Hij ook, hij kon er niet meer tegen: twee van de acht patiënten overlijden. Dit is opbouwender werk. Intussen lig ik bloot op een tafel en word bedekt met de voorkant van een truitje.

'Small. Een beetje eten jij.'

Het truitje bestaat uit een dubbele laag, waar ze warme kunststof in laten lopen die hard moet worden op mijn lijf. Hetzelfde herhaalt zich voor de achterkant. Als ook die hard geworden is zetten ze er ritsen tussen.

Mijn moeder zwaait vanuit de verte, zegt de zuster. De ingreep is gelukt. Het is fijn om haar mond vrij te zien, zonder slangen want de sondevoeding gaat nu door de neus. Die dop die ze op haar keel heeft wordt er op den duur afgehaald en als de wond genezen is, over een week ongeveer, kan ze een canule krijgen met een spraakklepje zodat ze kan praten. Ik lees wat kaarten voor van de bergen post die we ontvangen. Als mama verschoond moet worden, schuiven ze me even opzij en zetten me aan het voeteneind van andere patiënten waar ik uitzicht heb op een beademingsapparaat en een ijskast die vol zit met zakken bloed.

Mama schrijft met hanenpoten: IK WIL NAAR HUIS.

45

'Dat gaat gebeuren, mama, maar eerst beter worden.' Kortgeleden zeiden we hetzelfde tegen mijn vader.

'Ik neem wel een foto van Ollie mee als ik je hier kom opzoeken,' zegt Erik, die straks naar huis mag.

'Ollie is zijn poes,' leg ik uit aan Mathilde, die naast mijn bed zit en me voert.

Erik is via de telefoon druk aan het organiseren, hij bestelt kratten pils, chips, kroketten. 'Morgen komt er een stel maten, een stuk of dertig, en dan houd ik het nog rustig. Eerst lekker mijn kop scheren.'

Mooi en opwekkend is het uitzicht op die dikke buik van mijn zusje. Ik vertel dat ik het zo erg vond dat ze me niet bij mama hebben gebracht toen ze zo in de war was. 'Ze wilde naar haar net bevallen dochter.'

'Je moet jezelf ook sparen, jij bent er ook ernstig aan toe,' zegt ze terwijl ze weer een lepel vla in mijn mond stopt. Mijn kleine zusje is nu even mijn moeder. Alle rollen worden voortdurend verwisseld. Ik zie mijn vader nog binnenstormen na de geboorte van ons broertje Onno. 'Een zoon, een zoon!' Nu is dat kleine baby'tje onze vaderfiguur.

Ik heb nog steeds weinig eetlust. Die fortifresh, het krachtvoer dat ik tussen de maaltijden door moet nemen om mijn botten beter te laten genezen, is inderdaad behoorlijk vies.

Mijn vader weigerde 'die smeertroep' vaak. Dan sprak ik hem moederlijk toe, waarop hij zei: 'Meid, hou op met je gebaas!'

Het eten was een grote zorg. Een keer haalde hij een hap voedsel waar hij een tijd met lange tanden op had zitten kauwen uit zijn mond en stopte het in de mouw van zijn pyjama. Zelfs als mama zijn lievelingsgerechten voor hem klaarmaakte, zoals gestoofde tong in wijnsaus, at hij er maar een paar hapjes van.

Op een avond gingen mijn moeder en ik naar het ziekenhuis met een zelfgemaakte soep, een zachtgekookt eitje en een blikje gecondenseerde melk, dat zoete, stroperige spul dat hij vroeger jatte van de Duitsers. Hij kocht het af en toe nog wel eens, tot vreugde van de kinderen, niet van mijn moeder, goot het op een schoteltje en dat likten we dan met onze vingers op.

Hij had nergens zin in.

Ik raakte geïrriteerd. 'Mama heeft die soep speciaal voor jou gemaakt. Als je niet eet word je niet beter.' Hij wilde niks. Ik vroeg of ik een muziekje zou opzetten, een stukje voorlezen.

'Hou op met je gedram. Lazer toch op!' riep hij driftig.

'Goed, dan lazer ik op,' en ik wilde net zo driftig zijn kamer verlaten toen hij me nariep: 'Meid, kruip even bij me in bed.'

Ik ging in zijn uitgestrekte arm liggen op het smalle ziekenhuisbed en samen hebben we een schoteltje gecondenseerde melk leeg gelikt.

Erik gooit een reep witte chocola door de kamer op het bed van Ida. Mij reikt hij er een aan. Daarna gaat hij zich aankleden, een broek van zijn broer.

Normaliter draagt hij legerbroeken, zwarte, met opgerolde pijpen. Allemaal lekkere harde stof.

'Straks ben ik bij Ollie.'

Oud en Nieuw

Mama is verhuisd naar de medium care en ligt op het aparte kamertje waar prins Bernhard ook vaak ligt als hij is opgenomen in het UMC. Op die manier kan ik haar bezoeken zo vaak en zo lang als we willen. Ze wordt verpleegd door mijn oude bekenden, die me elke dag komen halen en mijn bed tegen het hare schuiven, waarna we soms hand in hand liggen te slapen.

Omdat ze steeds frisser wordt ben ik bang dat ze over Tado zal beginnen.

Op een middag, als we weer hand in hand naast elkaar liggen, pakt ze haar schrijfblok van haar buik en schrijft: Heb je iets van Tado gehoord?

Nu moet ik de waarheid zeggen. Dit is eigenlijk een ideaal moment, zo samen in een kamertje, nadat ze goed heeft geslapen.

Ik leg mijn hand op haar arm, draai mijn hoofd naar haar toe. Ze kijkt voor zich uit met die enorme kroon om haar hoofd.

'Mama, ik moet je iets heel ergs vertellen. Dat hebben we nog niet gedaan omdat je er zo slecht aan toe was. Nu gaat het beter met je.'

Ik ben even stil en zeg dan: 'Tado is overleden.'

Ze doet haar mond open als om een kreet te slaken, maar ze maakt geen geluid.

'Misschien was hij al dood toen we tegen de boom knalden.'

Ze staart met wijdopen ogen voor zich uit.

Ik streel haar arm.

'Maar wat dacht je dan, had je een vermoeden?'

Ze schrijft: 'Dacht: of hij is gek, was het maar zo, of hij is dood.'

Ik teken hoe hij reed, dwars de weg over, zonder enige reactie. Ik doe uitvoerig verslag, vertel dat Johanna hier is geweest.

De laatste dag van het jaar ben ik alleen over op de zaal. Ook Ida is naar huis.

Aan het eind van de middag word ik opgehaald om oudejaarsavond bij mijn moeder op het kamertje door te brengen. Ze is moeilijk te bereiken, verdoofd door de vele medicijnen, soms is ze een beetje benauwd. Ik kijk naar Youp, van wie ik een lieve brief en een boek heb gekregen. Regelmatig loopt de verpleging binnen, om mijn moeder meer lucht te geven door met een langwerpig apparaat slijm weg te zuigen via de tracheostoma, waar dan even het dopje af wordt gehaald, of om te vragen of ik koffie of een sapje wil.

Als Liesbeth List 'Hoog Sammy, kijk omhoog Sammy' zingt herinner ik me hoe op een van die vele oudejaarsavonden die wij bij mijn grootouders doorbrachten, Ramses Shaffy dit lied zong. Nu sta ik op de lijst voor hetzelfde verpleeghuis waar hij zit. Voordat het oliebollenfeest begon gingen we naar de kerk waar opa, de vader van mijn vader, preekte, die de dienst altijd liet eindigen met het tranentrekkende gezang: 'Blijf bij mij Heer, want de avond is nabij.' Toen was de wereld nog veilig en herbergzaam maar ik wist dat dat niet altijd zou duren.

Engelien zegt dat ik mag blijven slapen en belt naar mijn afdeling om te overleggen. Tekla, die vanavond eigenlijk over mij moest waken, vraagt een beetje bezorgd of het niet te vermoeiend voor me is. Ik twijfel even, maar vind het toch wel heel bijzonder deze *rite de passage* aan de zijde van mijn moeder te beleven en morgen samen het nieuwe jaar te beginnen. Broeder Hans komt pillen brengen in een enveloppe waar de gelukwensen van Tekla op staan.

Ook de buurman achter de ruit, in de ruimte waar ik gelegen heb, heeft bezoek.

Om middernacht opent Engelien met een knal een fles kinderchampagne. Vorig jaar kreeg ik de eerste kus van mijn voormalige geliefde, nu van zuster Engelien. Tot mama dringt het allemaal niet door.

Mijn vader bakte altijd een enorme berg oliebollen voor de hele familie en de hele buurt. Vorig jaar ook, met zijn laatste krachten, na een shuntoperatie aan zijn arm, gezeten op een hoge kruk bij het fornuis. Soms, als ik in Italië was met de jaarwisseling, vroren ze er een paar in, zodat ik in de zomer nog van die superbollen kon genieten.

Misschien zitten er nog wel een paar in de diepvries.

Op de laatste nieuwjaarskaart aan Loes en Herman schreef mijn vader: 'Als bakkersvrouw is Margje onvolprezen. "Doorzetten!" riep ze toen mijn hand opzwol tot een ballon. "Dat je hem nog hebt is alleen aan Hermans advies te danken: laat hem nog even dienstdoen en volg dan pas desnoods de goede raad van de Heilige Schrift: 'Als je oog je ergert, ruk het uit; als je hand je ergert, houw hem af.'" Met mij is het dus gebeurd, maar jullie moge nog veel Heil en Zegen ten deel vallen.'

Helaas heeft hij het goed voorzien.

We heffen de glazen cider en stoten ze tegen elkaar.

Ik slaap goed met heel veel pillen, naast mijn moeder.

Ze laten me uitslapen tot tien uur en brengen me dan terug naar mijn eigen Traumatologie.

De eerste die me een gelukkig nieuwjaar wenst is Tonino Guerra, de oude Italiaanse dichter en scenarioschrijver, die is ingelicht door mijn Siciliaanse schoonzusje en al vaker heeft gebeld. Hij is melancholiek de laatste tijd, zegt hij, en ook erg boos over ons ongeluk. Hoe het met mijn ribben is, mijn rug, of ik ingezwachteld ben.

'Nee, ik moet plat op mijn rug liggen, mag me niet eens op mijn zij draaien.'

'Dus als er iemand komt die je benen uit elkaar doet kun je daar niks tegen beginnen?'

'Nee, maar dat is nog niet gebeurd, helaas.'

'Dat helaas vind ik wel leuk.'

Nog een andere stem uit Italië. Toenke, hij had voor me gebeden in het Pantheon, alle goden aangeroepen.

's Middags verschijnen de zusjes met hun mannen en kindjes. Ook Onno met Jantje en Pietertje, die een maffiosen petje draagt op zijn blonde krullen. Ze zijn in Amersfoort geweest. Het was aangrijpend om voor het eerst van zijn leven zelf de voordeur open te maken, vertelt hij en het deed hem pijn papa's klompen te zien staan, zijn jas te zien hangen, de foto's. Overal had hij hem zien rondscharrelen, in de tuin, bij de composthoop en hout verzamelend om de open haard mee op te stoken. Het huis en de tuin waren goed bijgehouden door mama's broer Hans met zijn vrouw en de vriendin uit het naburige huis had bedacht om de kerstster voor het raam te hangen.

Johanna's bezorgde stem stond nog op het antwoordapparaat.

Aan weerskanten van het grote bed lagen de kleren van mama en mij die we uit hadden getrokken voor het feestelijker tenue dat nu aan stukken is geknipt.

Als ik op een avond weer naast mijn moeder in het kamertje van de prins lig op de medium care, vraagt de zuster die de vorige verpleger aflost, hoe het met het praten gaat.

'Niks.'

'Hebben jullie het al geprobeerd met die andere canule?' We weten niet van een andere canule. Ze gaat meteen op zoek en komt na een tijdje terug met een doosje waar zo'n ding uit komt dat ze vervolgens in het apparaatje stopt dat in mama's hals zit.

'Probeer eens.'

'Ja,' klinkt het heel hees.

Ze praat!

'Champagne!' zegt ze meteen, met zachte hese stem. Maar een stem!

Kort daarna vertelt ze dat ze zo blij was dat papa al die ellende en pijn is bespaard, ook dat ze bezorgd was om mijn uiterlijk, mijn gezicht en handen.

Ze herinnert zich niks van het ongeluk, vaag van de intensive care. 'Ze hadden het over een ernstig trauma.' Even had ze gedacht: Schuif me maar in het graf bij Jan.

Deze ramp is een breekpunt tussen het ene en het andere leven. Misschien dat mijn moeder hierdoor beseft dat ze wil leven, dat ze een belangrijke rol heeft voor kinderen en kleinkinderen.

Ik heb drie nieuwe kamergenoten. Mariska, een mooie rijzige jonge vrouw die geopereerd moet worden aan haar rug. Gerrie, een andere jonge vrouw, van wie de hand is opgezwollen door een bacterie. 'Dat zijn vieze dingen, bacteries.' Ze komt van de boerderij, spreekt sappig Betuws en is altijd opgewekt, ook al hebben ze een vinger moeten amputeren. Mevrouw Van Vulpen, een dame van tegen de tachtig die op oudejaarsavond van de trap is gevallen, werd hier meer dood dan levend binnengebracht maar knapt zienderogen op en zal binnenkort waarschijnlijk de friste van de zaal zijn.

'O help, mijn broekje is gescheurd,' zegt Mariska, die naast me ligt en straks geopereerd zal worden. Ze heeft een operatiejasje aan en een broekje van papier.

'Geeft niet, scheuren ze op de operatietafel toch van je kont.'

Ze vraagt zich af hoe ze haar behoeftes moet doen, als ze straks terugkomt en plat moet liggen.

'Gewoon in bed. Laten lopen,' zeg ik.

'Echt?'

'Tja, ik ben er ook nog niet aan gewend.'

We lachen.

Ze komt erg beroerd terug later op de dag, heeft veel pijn en moet voortdurend overgeven.

Gerrie krijgt bezoek van haar man en zoon, mannen met blozende wangen die een grote mand bij zich hebben vol rijkdommen van het land.

Mevrouw Van Vulpen moet erg hoesten. 'Als dat zo doorgaat leggen jullie me maar op een ander plekje. De meisjes moeten slapen.'

'Geen punt,' zegt zuster Patricia, 'ik heb altijd een hamer bij me en daar geven we ze gewoon een klap mee op de kop, dan slapen ze wel.'

Broeder Herman zet mevrouw Van Vulpen op de po, verbindt de hand van Gerrie, controleert de drains van Mariska waar het wondbloed uit lekt, leegt mijn katheterzak, zodat mijn plas bij die van Mariska in een grote kan belandt.

Als we een paar dagen later met ons vieren liggen te eten, komt mijn moeder binnengereden, geduwd door zuster Ariane.

'Wat is het hier vrolijk,' zegt ze met haar hese stem. De grote ramen, waardoor ze voor het eerst de lucht weer kan zien, de kleurige kaarten op de prikborden, de bloemen die op de intensive en medium care verboden zijn. De gezellige dames.

'Over een poosje lig jij hier ook.'

Een man in een groengeel pak komt naar me toe en steekt zijn hand naar me uit. 'Dag, ik ben Ton. Ik ben ambulanceverpleger en heb me over je ontfermd die nacht. Ik was benieuwd hoe het met je ging.'

Ik kan me hem niet herinneren.

Hij komt uit Ermelo.

'Daar werkte je neef, hè? Hij was dominee, ik kerkte wel eens bij hem. Een erg aardige man en zeer geliefd.'

Hij is even stil.

'Het is een wonder dat jij en je moeder nog leven. De auto zat gewoon om de boom heen gevouwen.'

Hij tekent hoe de auto stond en hoe hij ons aantrof. Ik lag naast de auto.

'Iemand had je eruit gehaald. Jij hebt lang met een brandweerman gepraat.'

'Weet ik niks meer van. Heeft die brandweerman me eruit gehaald?'

'Nee, een voorbijganger. Er zijn ook foto's gemaakt. Die zijn uitgezonden op de regionale televisie.'

Die wil ik wel zien.

Hij wenst me veel sterkte, ook voor mijn moeder, en komt nog eens kijken.

'Wat aardig,' zeg ik tegen zuster Patricia, 'doen ze dat altijd?'

Zij had het nog nooit meegemaakt.

Zondags heb ik mijn wekelijkse uitje naar het stiltecentrum.

'In het ziekenhuis zijn we om te genezen, hier om te helen,' zegt de voorganger, deze keer een priester. Sommige emoties krijgen alleen in de kerk een kans. Samen met veel andere mensen kun je je klein voelen tegenover iets wat groter is dan wij. Met elkaar sta je stil bij je kwetsbaarheid, je angsten, vertwijfeling, hoop.

In een kerk vol ernstig zieken hebben de woorden nog meer lading en moeten anders gekozen worden.

'Het afgelopen jaar zal voor velen moeilijk zijn geweest, wat zal het komende jaar brengen? Voor sommige mensen bidden we dat ze in vrede afscheid kunnen nemen.'

De dingen zijn meer zoals ze zijn, het leven heeft geen schijn van onbezorgdheid. Ook in tijden van pijn, verdriet en afscheid zijn er nog mooie momenten te beleven. 'De genade kan soms tot je komen in de gedaante van een mens,' zegt de voorganger.

Er rijdt een zwarte man in een rolstoel met een kleurig dekbed over zich heen naar me toe. Hij geeft me een hand: 'Hallo, I am Isaac Johnson.' Hij is al maanden hier, er is een voet geamputeerd.

Tijdens de preek valt hij in slaap en hij slaapt nog tijdens de collecte.

Als de priester langskomt met hosties en wijn, schrikt hij wakker. 'Ja, sorry, zegt hij, ik deed een dutje tijdens de preek. Je wordt zo moe van het ziekenhuisleven.' Isaac doopt in, steekt de in wijn gedoopte hostie in zijn mond en roept luid: 'Lekker! Ik had al lang niks gedronken.'

Voordat de zegen wordt uitgesproken, rolt hij naar voren om een tientje in de schaal te deponeren.

Bij de koffie na de dienst komt hij met zijn stoel tegen mijn bed zitten. 'I like women.'

De pastor neemt voor iedereen even tijd. Hij praat met de vrouw in het bed naast me die net haar man heeft verloren en nu zelf kanker blijkt te hebben.

Dames gaan rond met schalen vol bokkenpootjes en kokoskoekjes.

Ravijnen en afgronden

We zijn hier inmiddels een maand en mama is verhuisd van de medium care naar het plekje naast mij. Mariska ligt nu op de aangrenzende kamer maar zodra ze uit bed mag komt ze buurten, heeft ze beloofd. Gerrie, die mag rondlopen met een standaard op wieltjes waaraan haar infuus bungelt, kwam meteen kennismaken en mijn moeder welkom heten.

Ik sidder voortdurend mee met mama, als ze gedraaid wordt waarbij haar knie pijn doet omdat er een metalen pin doorheen zit voor de tractie, als ze vloeistof in haar tracheostoma druppelen waardoor ze benauwd gaat hoesten. Elke keer denk ik: doen ze het wel voorzichtig genoeg, houden ze haar wel goed vast? Ik lig er zo machteloos naast.

Als iedereen slaapt tegen middernacht, trek ik me terug in mijn stille tuinkamer. Alle lichten zijn uit, behalve een klein lampje boven mijn bed dat in de weerspiegeling van de televisie net een kaars lijkt in die serreachtige ruimte vol schilderijen. Dan zet ik mijn walkman op en luister naar muziek, hoe zwaarder en ernstiger hoe beter en hoe meer het me troost. Ik heb Catherine gevraagd vooral requiems voor me mee te nemen.

Als Emily binnenkomt, die nachtdienst heeft, haal ik de walkman van mijn hoofd. Ze heeft een krant bij zich, het *Utrechts Nieuwsblad*.

'Heb je het al gezien?'

'Nee.'

Er staat een groot artikel in over ons ongeluk.

Vanochtend om vijf uur wordt mama verschoond door Emily en Tekla. De gordijnen rond haar bed zijn dichtgetrokken en er brandt gedempt licht.

'Ik lig hier aan de rand van een afgrond.'

'U ligt veilig in uw bed, mevrouw Steenbeek.'

'Nee, ik kan hier elk moment vanaf vallen. Kijk dan.'

Ik schrik, ze maakt geen grapje.

'Mama, je ligt gewoon in bed, net als ik.'

'Je kunt me nog meer vertellen.'

Ze wil rechtop gezet maar dat mag niet. Als ze haar een beetje verleggen roept ze 'Auauau.' Ik heb zo met haar te doen, en kan geen hand uitsteken.

'Ze is heel flink,' zegt Emily, die even naar me toe komt, 'de meeste mensen gillen het uit. Ja, ze is wat in de war, dat kan komen door al die verhuizingen.'

'*Bist Du ein Mensch so fühle meine Not,*' declameert ze plechtig als de zusters vertrokken zijn. Dan vallen we weer even in slaap totdat we een paar uur later gewekt worden door een allervrolijkst 'goedemorgen!'

Herman doet het licht aan en trekt de gordijnen open, wat gekreun oplevert uit de verschillende bedden. 'Dat is wel heel energiek, broeder.'

Na het ontbijt krijgen we het washoofdstuk. Voor mama roept Herman een legertje van vijf verpleegkundigen bij elkaar. Vier tillen haar omhoog terwijl de vijfde snel een washand over haar achterkant haalt.

'Het is hier net een circus.'

Dan is mama's overbuurvrouw aan de beurt. Gerrie wast zichzelf.

'Mevrouw Van Vulpen, heeft u een onderbroek aan?' vraagt Herman.

Mama moet lachen: 'Wat een leuke vraag.'

'Ik wil weten of ik het gordijn dicht moet doen of niet. Ik wil deze dame namelijk het bed uit hebben naar de douche.'

'Wat een revolutie,' zeg ik.

'Wacht maar, ik heb voor jou ook nog een verrassing in petto.'

Als hij even later aan mijn bed staat zegt hij: 'We doen jou ook onder de douche.'

'Maar ik moet plat liggen.'

'Weet ik, we leggen je op de douchebrancard.'

Herman rijdt me naar een grote badkamer, waar hij me geassisteerd door collega's op een blauwe brancard met gaten overhevelt. De brancard wordt boven het bad gereden, dat vervolgens omhoogkomt, naar me toe. Heerlijk, dat water over me heen na zo veel weken. Hij wast me met Dolce Vita, dat Giovanna voor me meebracht. Ook mijn haren wast hij, boven een grote groene teil.

'Je benen zijn nog erg blauw,' zegt hij. Ik heb mijn benen in geen weken gezien.

Als hij me afdroogt ontdekt hij rode drukplekken van het korset op mijn billen en op mijn ribben. Toch word ik weer in het korset gesloten, als een mossel in een schelp, toegedekt en volledig verkwikt naar mijn zaal gereden.

Even later is Herman weer terug en zegt dat hij me mee gaat nemen naar de gipskamer omdat die rode plekken hem niet bevallen.

Tijdens de lange tocht door het lichte labyrint denk ik aan die eerste keer dat hij me hier vervoerde en aan al die keren dat ik het bed duwde van mijn vader.

Het korset wordt met een laagje blauw schuimplastic gevoerd. Ruud had ook gemerkt dat mama wat in de war was, ze wilde haar haloframe terug terwijl ze het op had. 'Dat gebeurt vaak na de intensive care.'

Als hij klaar is rijdt hij me naar buiten.

'Hé Rosita!'

Daar is Mariska ook, plat op haar rug. Ruud schuift onze bedden tegen elkaar onder een palm. Tussen de spijlen door lachen we naar elkaar en praten bij. Men lijkt ons vergeten.

'Ze hebben ons hier gewoon onder de plantenbak geschoven.'

Ik ben net terug op de zaal of daar is Herman weer met een stoere verschijning, een breedgeschouderde jonge man.

'Niet te lang,' zegt Herman tegen hem, 'het is geen bezoekuur.'

De man komt naar me toe en geeft me een hand. Hij heeft een aardige blik in zijn ogen.

'Ik ben Dick Schoonheid, ik heb je uit de auto gehaald.'

Hij had het artikel gezien in de krant en was meteen hiernaartoe gegaan.

Ik weet er niks meer van, zeg ik, herken hem niet.

'Ik reed over die weg, kwam van mijn werk in de sauna iets verderop, samen met een jonge collega. We waren er al voorbij toen ik die auto tegen de boom zag staan en heel veel rookwolken. Ik ben meteen gedraaid. De bestuurder, je neef begreep ik uit de krant, zat met opengesperde ogen achter het stuur. Jij lag op je rug met je hoofd op zijn schoot, je benen uit het portier, het motorblok hing over je heen. Je riep: 'Help, haal me eruit.' Je moeder lag half op de achterbank, half eronder, in zo'n rare houding dat ik dacht: zij kan er beter door vakmensen uit worden gehaald. Maar het stonk erg naar benzine en als de auto in brand was gevlogen had ik haar er toch uit gehaald.

Eerst heb ik jou onder het dashboard uitgetrokken. Je zette jezelf af.'

'Dat heb je dan heel voorzichtig gedaan, anders had ik in een rolstoel gezeten. Je moet me professioneel hebben vastgehouden.'

'Jij hebt míj vastgehouden, je klampte je aan me vast, alsof we al heel lang getrouwd waren. Ik heb je in het gras gelegd. Mijn collegaatje heeft meteen ambulance, politie en brandweer gebeld.' Ze waren er snel.

'Je neef hing roerloos over het stuur.

Ik heb zijn pols gevoeld, die werd onregelmatiger.

Die laatste hartenklop, dat was heel aangrijpend.

Toen kwam de ambulance.

Ze schenen in zijn ogen.

Geen reactie.'

We zijn stil.

Hij fronst, alsof hij het weer voor zich ziet.

Kort daarvoor hadden Tado en ik zo rustig zitten praten.

'Wat moedig van je, de auto kon ontploffen.'

'Ach, dat doe je gewoon.' Het artikel had hem geraakt doordat er stond dat ik zo met de dood bezig was. Zijn vrouw heeft net een dood kindje gebaard en zijn lievelingstante is onlangs overleden.

'Maar je hebt onze levens gered.'

Hij glimlacht verlegen. 'Ik weet niet... ja, de weg was verlaten. Ik heb je de hele nacht horen roepen.'

Hij geeft me zijn adres en telefoonnummer, voor het geval ik nog meer wil weten of Johanna hem wil ontmoeten.

Als ik weer kan lopen moet ik hem eens opzoeken, samen naar die fatale plek.

'Toch goed dat ik nu hier neer ben gezet.'

Ik draai mijn hoofd opzij waardoor de kamer tolt en kijk naar mama, die eruitziet als een sprookjeskoningin op een toverboot, met die enorme kroon om haar hoofd en dat bed met die rondlopende stang voor de tractie.

'Je staat precies op dezelfde plek.'

'Helemaal niet. Hier heb ik leuk uitzicht, vanochtend stond ik bij een ravijn.'

's Avonds is ze erg onrustig. Ze trekt haar jasje uit, nog steeds het oranjegele operatiejasje, duwt de dekens van zich af, slaat met haar armen als een baby.

Gerrie loopt naar het bed van mama, dekt haar toe.

'Wat ben je lief. Dus jij woont op de boerderij. Hebben jullie koeien?'

'Ja, honderd koeien, drie hectare grond. We hebben ook veel paarden. Dat is mijn hobby.'

'Hoe heet je lievelingspaard?'

'Edelster.'

'Wat mooi, toverpaardje,' zegt mama mijmerend.

'Ik kan hem laten dansen op muziek.'

'Wat zullen ze je missen thuis.'

'Ja, mijn zoon van twaalf slaapt nu naast mijn man.'

'Jullie hebben zeker ook een hooiberg.'

'Een hele grote, met hooibalen, om vanaf te roetsjen.'

'Deden wij vroeger ook,' zegt mama. 'Toch het mooiste wat er is?'

Gerrie is opgegroeid op de boerderij. Haar vader was boer, haar moeder schippersdochter.

'We verbouwden ook groente, maar dat is veel werk en risico. We hebben wel een moestuin.'

'Hadden wij vroeger ook. We woonden in een pastorie op een dorp. In de dorpen waren toen geen groentewinkels.'

'Je deed alles zelf. Zuurkool in Keulse potten.'

'Stenen erop.'

'Appeltjes tot kettingen rijgen.'

'Drogen boven het fornuis.'

'Wekken.'

'Ja, kersen.'

'Pruimen.'

'Jam maken.'

Mama wordt rustig van deze uitwisseling.

'Nu ga ik plassen, maar morgen praten we verder,' zegt Gerrie.

'Over de snijbonen.'

'Witte boontjes.'

'Boontjes doppen.'

'Drogen.'

'Van die bossen.'

'Eigen kaas van eigen melk. Zelf karnen.'

'Kersen op brandewijn.'

Als Gerrie terugkomt uit de wc vraagt mama: 'Waar ga jij nu slapen?'

'Hiertegenover.'

'Wat gezellig.'

'Ze slaapt al dagen tegenover je.'

'Rosita is zo'n fantast.'

'Waar denk je dan dat we zijn?'

'In de pastorie van Klaaswaal.'

'Nee joh, we liggen in het ziekenhuis,' zeg ik.

Mama trekt een verbaasd gezicht, zo komisch dat we moeten lachen.

'We gaan lekker slapen,' zegt Gerrie.

'Wat ben je lief, je zeurt nooit,' zegt mama en ze aait haar even over haar wang.

'Jij ook niet.'

'Jawel, het duurt zo lang.' Dan steekt ze haar vinger in de lucht en telt. Wat zou ze tellen?

Als ik een tijdje in het donker lig nadat ik nog even naar muziek heb geluisterd in mijn tuinkamer, komen er ineens herinneringen terug. Ik voel weer hoe ik naar adem hap, ik voel hoe ik me aan iemand vastklamp en wanhopig roep: 'Haal me eruit, haal me eruit, haal me eruit...'

'Rustig maar, ik haal je eruit, rustig maar.'

Later in de nacht zie ik het gezicht van Tado over het stuur gebogen.

In de vroege ochtend komt de nachtzuster de katheter eruit halen.
'Maar waarom?'
'Kans op infectie.'
'Ik heb nergens last van, drink veel water en slik vitamine c.'
'Het staat bij de instructies van de zaalarts.'
'Waarom overlegt hij dat niet eerst met mij? En hoe moet het dan? Liggend op een po? Dat kan ik niet eens.'
'We hebben schuitjes, die zijn heel laag.'
'Ik vind het zo'n onzin, het gaat toch goed?'
Ze is niet te vermurwen en haalt hem eruit.
Ik baal.

'Sita, ga eens van mijn been af.'
'Mama, ik lig niet op je been. Je ligt alleen in bed en ik lig in het bed ernaast.'
'Ik ben zo verdrietig.'
'Waarom?'
'Omdat papa er niet meer is.'
'Dat is ook vreselijk.'
'En die lieve Tado.'
Zou ze zo in de war zijn doordat het nu pas allemaal tot haar doordringt?

Als het ontbijt wordt binnengebracht heb ik enorme druk op mijn blaas, een gevoel dat ik in geen weken meer heb gehad. Daar begint het gelazer al. Herman lijkt er wel enig begrip voor te hebben. Waarom is er geen overleg geweest, zeg ik terwijl hij een schuitje onder mijn billen schuift. Het ligt vreselijk onhandig en doet pijn in mijn rug.

Even later komt hij langs met een arts-assistent, maar een assistent zal natuurlijk nooit tegen een opdracht van een baas ingaan. En inderdaad.

'Uw blaasspieren kunnen verslappen.' Zo snel zal dat toch niet gaan? Op deze manier beland ik op Psychiatrie.

Tijdens Mathildes bezoek moet ik weer. Ze ziet er prachtig uit met een gouden sjerp om haar imposante buik. Als haar zoontje niet zelf het initiatief neemt gaan ze de bevalling over een dag of tien inleiden. Bij Giovanna kan het elk moment raak zijn, het is al ingedaald. Op mama's verzoek heeft Mathilde een klokje meegenomen voor op het nachtkastje.

'Leuk,' zegt mama terwijl ze het klokje bekijkt, 'maar hoe kun je zien hoe laat het is?'

Mathilde heeft niet meteen door dat mama deze vraag meent.

Even later is Catherine in tranen terwijl Mathilde met mij zit te praten.

'Wat is er?'

'Mama doet zo vreemd, ze zegt dat ze in een bed wil.'

'Ja, mama is een beetje gek geworden,' zeg ik. 'En ik word ook gek, nou moet ik alweer bellen voor zo'n verrekt schuitje.' Het korset drukt op mijn blaas.

'Mijn hele dag wordt verknald door dat gezeik,' zeg ik tegen Herman, die moet lachen. 'Dit kan ik er niet ook nog bij hebben.'

'Goh, wat een lekker toetje,' zegt Gerrie, die naar koken op de buis kijkt. 'U moet hem in uw mond houden, mevrouw Van Vulpen.' Ze doelt op een soort vredespijp waardoor mevrouw Van Vulpen af en toe wat extra zuurstof tot zich moet nemen.

Ik vertel mijn zusjes wat mama allemaal voor wonderlijke uitspraken heeft gedaan en dat ze haldol krijgt, net als papa.

We kijken elkaar aan.

'Tja, die vroeg naar gemalen katten.'

'Wat een familie.'

Het zal door de intensive care komen, de algehele stress en ellende, dat hopen we maar. Bij papa is het nooit meer helemaal goed gekomen.

Als Barbara, mijn trouwe schoolvriendin, even later op bezoek komt, reageert mama nauwelijks, ze trekt voortdurend haar jasje uit en woelt zich bloot, waarna Barbara haar weer toedekt.

We praten over onze gestorven vaders. Haar vader is al bijna tien jaar geleden overleden. Ze mist hem nog erg, vooral op de mooie momenten. We huilen allebei even.

Mama's vriendin Loes verschijnt maar kan ook geen contact krijgen. Ze is net zo onbereikbaar als papa vaak die laatste tijd.

'Wat een lieve koppies hebben jullie,' zegt mama tegen Emily en Tekla, die avonddienst hebben. 'Net zusjes.' Ze lijken helemaal niet op elkaar.

Ik beklaag me erover dat ze me van mijn katheter hebben beroofd. Herman had hen al ingelicht, maar ze weten een list, zeggen ze vrolijk.

'Als er te veel urine in je blaas achterblijft is dat een indicatie om weer een katheter in te brengen.'

Nadat ik een tijdje op een schuitje heb gelegen, wat tot weinig heeft geleid, meten ze met een apparaat dat ze op mijn buik leggen hoeveel er achter is gebleven. Ja, te veel.

Dat is in elk geval een probleem minder.

Ik vind het vreselijk om mama zo te zien, en ik kan niks doen.

'Binnenkort heb je er twee kleinkinderen bij, mam.'

'Dag liefkereltje.'

Ze trekt weer aan haar jasje, aan haar dekens. Ze zegt 'mama', soms ook 'papa'.

'Wat wonderlijk is de mens,' verzucht ik.

'Zeg ik net tegen mevrouw Van Vulpen,' zegt Gerrie, 'we zitten raar in elkaar.'

'En dan te bedenken dat ik nooit een vinger gebroken heb,' reageert mevrouw Van Vulpen.

'Bij mij is het gekke dat ik die vinger die ik kwijt ben nog steeds voel.'

Er valt een doos tissues op de grond.

'Stil maar jochie.'

Midden in de nacht zegt mama ineens: 'Ik moet naar de wc.'

Verdorie, ik was net in slaap.

'Je kunt het gewoon laten gaan.'

'Nee, dat vind ik vies. Ik kan best hinkelen.'

'Je doet het al weken in bed, net als ik,' zeg ik wat knorrig.

'Negenennegentig keer in bed poepen dat gaat nog, maar honderd keer is te veel.'

Ze blijft heel onrustig. Gerrie staat af en toe op om haar weer toe te dekken. Op de terugweg naar haar eigen bed kijkt ze uit het raam en vertelt dat ze wagens ziet staan met cilinders vol gas voor de narcose.

Emily neemt mama mee zodat ze ons niet uit de slaap houdt.

Natuurlijk word ik er zelf dol van, maar dit was nou ook weer niet de bedoeling. Waar zou ze nu zijn?

'Als ze haar maar niet in het licht zetten, zij moet ook slapen.'

'Dat hoef je niet te pikken,' zegt mevrouw Van Vulpen.

Ik droom dat ik op een perron lig met een paar anderen op stretchers onder paardendekens. We wachten op de trein. Een passerende jongen rukt de deken van me af en dan word ik meegenomen in een straaljager die landt op een andere planeet waar we Oud en Nieuw gaan vieren.

We zijn al op een andere planeet.

Gerrie vertelt dat ik geroepen heb: Trein, trein en Onno of Uno.

'Deze zaal wordt steeds gekker.'

16 januari

'Ze is geboren.'

'Wie is geboren?'

'Mathilde Catherine Rosa.'

Er springen tranen in mijn ogen. De namen van de drie zusjes, de namen die onze ouders aan hun dochters gaven. Wat zou papa dat geweldig hebben gevonden. Hij verlangde zo naar een kleindochter na al die jochies. Toen hij hoorde dat Giovanna zwanger was van een meisje had hij even gehuild.

Onno hoopt aan het eind van de dag langs te komen met videobeelden van zijn dochtertje.

'Mama, champagne!'

De fles staat al weken naast mijn bed maar vandaag gaat hij open. Ze is heel blij en opgelucht dat het allemaal goed is gegaan.

'En dan moeten we een nieuwe fles klaarzetten voor Mathilde, voor mama Mathilde.'

'Dat kan nog wel even duren, jullie waren ook allemaal te laat. Jij drie weken. Ik ben 's middags nog naar Utrecht gefietst om een wasmachine te kopen.' Catherine had evenmin neiging om te voorschijn te komen. 'Daarom zijn papa en ik een wandeling gaan maken langs de Kromme Rijn. Daar kwamen we een boze stier tegen. Ik ben in het water gesprongen, maar toen bleek dat ik een broedende zwaan had opgeschrikt die me aan wilde vallen.' Een vriend die aan de overkant woonde en het toevallig zag, had eten gegooid om het beest af te leiden.

Mathilde was ook veel te laat, maar de bevalling ging heel snel. De dokter had gezegd dat het nog wel even zou duren en was weer vertrokken zodat papa zijn derde dochter zelf heeft moeten halen. Mijn vader had ervaring met kalvende koeien omdat de bevriende dierenarts hem wel eens meevroeg om te helpen bij moeilijke gevallen. Hij heeft een roestige schaar ontsmet door er een fles jenever over leeg te gieten, en om dat kostelijke vocht niet verloren te laten gaan, had hij de drinkbak van de kippen eronder gezet.

Toen het kindje veilig en wel in moeders armen lag en hij naar buiten keek lagen de kippen laveloos in de tuin.

'Ik ben blij dat je weer bij je verstand bent.'

Ze is erg verbaasd over de vreemde dingen die ze heeft uitgekraamd.

'Waar zijn we hier eigenlijk?'

'In Utrecht, in het UMC,' zegt zuster Silvia, die net pillen komt brengen.

'O, dat is makkelijk,' zegt ze en ik denk aan papa, die hetzelfde vroeg en hetzelfde reageerde. 'In De Lichtenberg, o dat is makkelijk, vlak bij huis.'

Gerrie praat over cordon bleu.

Mama zegt dat ze een beha aan wil.

'Je haloframe is je beha.'

Ze ziet eruit als een klassieke godin of middeleeuwse krijgsvrouw met dat harnas dat alleen haar borsten vrij laat en dat strak om haar lijf zit om het metalen staketsel rond haar hoofd op zijn plaats te houden.

Daar komt Lettie binnengestapt, energiek en fleurig als altijd. Het was even rustig op de IC en ze was erg benieuwd hoe het ons verging.

'Hoe vinden jullie dit?' vraagt mama terwijl ze een klein kussentje dat in het ziekenhuis Jantje genoemd wordt, omklemt.

'Een mooi kussentje.'

'Ik vind het een mooie botervloot.'

Ik kan mijn lachen niet houden, maar vind het ook erg.

Lettie blijft heel rustig. 'Misschien wat haldol,' zegt ze. Ze bevestigt dat dit soort reacties vaak voorkomen na de IC.

'Is dit mijn blauwe bril, Sita?' Ze tikt tegen het haloframe.

'Nee, dat is je haloframe.'

'O, ik dacht dat hij ertussen was geraakt.'

Aan het eind van de dag verschijnt Onno nadat mama diep heeft geslapen.

Als de bedden zo dicht bij elkaar zijn gezet dat Onno er nog net tussen kan, haalt hij zijn videocamera te voorschijn.

Tussen de spijlen van het haloframe door kijk ik op het kleine scherm naar mijn nieuwe nichtje, dat met haar ronde hoofdje en de halfgesloten oogjes nog verzonken lijkt in een andere wereld. Haar handjes zijn vlindertjes op de boezem van de vermoeide maar gelukkige Giovanna.

Ik kijk naar mama, ze huilt. Ik ook. We denken allebei aan papa. Gelukkig heeft hij nog geweten dat ze in aantocht was.

'Hoe hebben de jongens gereageerd?' vraagt mama verrassend adequaat.

Pietertje had gezegd, wijzend op zijn zusje: 'Die komt bij ons wonen.' Jantje had opgemerkt: 'Zusje heeft natuurlijk een man nodig. Weet je wat: ik ben de man.'

'Ik heb nóg iets bij me, minder vrolijk,' zegt Onno. Foto's van het ongeluk. Via de politie had hij de fotograaf gevonden en die had hem de foto's gemaild. 'Volgens mij zijn het beelden van een film.'

Mama wil ze niet zien. Daar verbaas ik me over. Ik wil alles zien en weten.

Dat we daarin hebben gezeten, in die auto die om de boom heen zit. Naast het wrak ligt Tado onder een wit laken. Een groep ambulanceverplegers staat gebogen over wat er nog over is van de achterbank. Eén houdt een infuus omhoog. Een andere groep buigt zich iets verderop naar de grond. Daarachter politie-, brandweer- en ziekenauto's. Alles in het licht van helle lampen.

Onno smeert beschuit met muisjes en deelt Siciliaanse snoepjes rond, roze met een amandel erin.

We ontkurken de champagne.

Na de avondmaaltijd, tafeltje-dek-je op de buik, brengen Pieter en Hannah mama en mij naar het concert waar we ons gisteren voor hebben opgegeven.

Het is in een grote, door glas overkoepelde hal. De mensen zitten op stoelen en rolstoelen op de galerij die rond een dieper gelegen vijver ligt waarop het podium drijft, dat voor hen dus goed te zien is. Voor bedlegerigen minder, maar wij hebben daarentegen een nog grootser uitzicht op de hemel en de volle maan. De ruimte doet me denken aan de zalen van de Domus Aurea waar we onlangs nog liepen en aan andere Romeinse gebouwen. Kort na mijn vaders dood zijn mijn moeder en ik een week naar mijn huisje in Rome gegaan, om sinterklaas te ontvluchten, mijn vaders favoriete feest.

We luisteren naar de muziek.

Ik kijk naar mama, ook zij kijkt door de glazen koepel naar de maan. Wat zou er door haar heen gaan nu?

'Zeg maar tegen Pieter dat ik niet in dit hok wil slapen,' zegt mama als we terug zijn op onze zaal. 'Ik wil niet in deze rommelkamer met al die oude bloemen.'

'Mama, het is gewoon onze eigen kamer, kijk, daar is Gerrie. En de bloemen zijn heel mooi.'

'Ik vind dit geen bed, dit is een karretje. Ik vind het lullig dat ik met mijn benen buitenboord moet liggen in het ziekenhuis. Nou is het een soort box geworden, deze kar.'

Daar is Pieter met de pillen, ik zeg zachtjes dat ze weer behoorlijk de kluts kwijt is.

'Zou je mijn schoenen uit willen doen?'

Pieter doet net of hij haar schoenen uittrekt.

'Zo, uit.'

'Ik denk dat ik helemaal geen schoenen aanhad.'

'Mama, je houdt ons voor de gek.'

'Wil je die andere schoen ook uitdoen?'

Ik wissel een blik met Gerrie van geamuseerdheid en zorg.

'Er zouden niet veel mensen kunnen slapen op dit trappetje, hoor. Ik zou Loes wel eens willen zien en Mathilde zou het ook niet kunnen. Het is of ik op een boot naar binnen ben geschoven.'

'Mama, je ligt op net zo'n bed als ik.'

'Ik zal je morgen uitleggen hoe het zit.'

'Dat zal nog moeilijk voor je worden.'

'Ik vind het zo'n raar huishouden met al die planten door de grond. Alles rolt, zie je, zie je, de muur rolt.' Ze kijkt met grote ogen, wijst. 'En zij, de verplegers, rollen mee. Nu snap ik het, zo rollen ze gewoon door het ziekenhuis. Pieter, heb je al een idee waar mijn bed staat?'

'Die was wat schraal maar het gaat beter. Nog geen rode plekken.'

Verbaasde ogen van mama. En van mij.

'Bed,' herhaal ik wat vertwijfeld.

'O, ik dacht bibs.' Ja, dat zou een normale vraag geweest zijn, hoe het met haar bibs staat na al dat liggen.

Pieter heeft het erg druk, ook op andere zalen is van alles aan de hand.

'Ik vind dit gewoon pesterij van Pieter, die zeikerd.'

'Pieter doet zo zijn best.'

'En jij moet me niet afvallen.'

Alleen Gerrie kan haar af en toe even tot bedaren brengen, maar dan roept ze weer: 'Ik WIL in een BED! Ik heb nooit aan de kant van de weg kunnen slapen of op een trapje. Rosita, kijk eens of hier nog een bed staat.'

Ik bel Herman Hart, onze steun en toeverlaat, en doe zo zacht mogelijk sprekend verslag. Hij begrijpt dat ik soms de wanhoop nabij ben, maar stelt me gerust en geeft me zoals hij de laatste tijden zo vaak gedaan heeft een medisch college: Door stress, narcose, pijn, schedelletsel of grote chirurgische ingrepen kan de achterkwab van de hypofyse te veel antidiuretisch hormoon aanmaken dat dit soort verwarring tot gevolg heeft. Het duurt altijd even voordat er een evenwicht is gevonden in de medicatie.

'Zit daar een dikke kikker? Ja, daar zit een kikker.'

Ze wijst.

Gerrie komt, pakt het potje met blauwe druifjes. 'Kijk, dit zijn heel mooie bloemetjes.'

Ze wordt meteen rustig, geeft Gerrie een aaitje over haar wang.

'Je loopt als een paardje, zo mooi rechtop. Heb je veel aanbidders?'

'Vooral de paardenmeisjes zijn dol op me.'

'Wij komen een keer bij je kijken op de boerderij.'

Gerrie spreekt mama zo lief toe, moederlijk en vrolijk. Ze vertelt wat we dan allemaal gaan zien op de boerderij en op het Betuwse land. Ten slotte zingt ze 'Ik ga slapen ik ben moe'. Mama kijkt ontroerend blij. 'Here, houdt ook deze nacht over Margje trouw de wacht.' Precies zoals mama vroeger voor ons deed.

Ze wordt rustig en langzaam glijdt ze weg in de slaap.

Om twee uur wordt ze wakker en zegt dat ze in een bed wil.

Ik probeer het weer uit te leggen maar tevergeefs.

Zelf word ik ook gek, sliep diep. Ze duwt dekens van zich af die ze voor handdoeken houdt, heeft het dan weer koud.

'Mama, hou nou op. Je maakt me telkens wakker.'

Ik weet dat het onredelijk is om boos te worden.

Tekla is lief, dekt haar toe. Mama aait haar over haar wang: 'Dag liefkereltje.'

'Ik vind u ook heel lief.'

'Ik zou graag in een bed willen.'

'Daar ligt u in.'

'Nee, dit is een trapje.'

Tekla kijkt naar mij, glimlacht, schudt haar hoofd.

Als ze ons later in de nacht nog twee keer heeft doen opschrikken door het verzoek in een bed gelegd te worden en ik haar twee keer tevergeefs heb proberen duidelijk te maken dat ze daar al in ligt, nemen ze haar mee. Ik vind het erg dat ik zo kortaangebonden was, voelde me net papa in die wat al te heftige reactie.

Om acht uur wordt ze gelukkig teruggebracht maar nog steeds met een wilde blik in de ogen.

Straks komt de psychiater, misschien is de haldoldosering niet goed.

'Grappig, zo'n meneer die daarvandaan komt en daar weer verdwijnt.' Er kwam echt een meneer door de zaaldeur die door de badkamerdeur weer verdween om daar een reparatie te verrichten.

'Je hebt wel oog voor het komische, mam.'

De kamer een boek

'Ze houdt haar bed voor een trap of karretje.'

Er staat niet één psychiater aan mama's bed, maar drie. Twee zijn zeer jong, waarschijnlijk in opleiding. Ik heb verteld dat ik de dochter ben en het allemaal vanaf de eerste rang volg.

'Hoe vindt u het zelf dat u uw bed voor een karretje houdt?' vraagt de oudste van hen aan mijn moeder.

'Origineel.'

'Dat is een originele reactie,' zegt de psychiater vermaakt.

Ik kijk naar de drie aardige, aandachtige gezichten.

Ze gaan de haldol wat verhogen. 'Het lijkt me niet prettig op een trappetje te slapen.'

Als ze weg zijn zegt mama: 'Aardige kerels, net drie broers. Ik zou liever psychiater zijn dan chirurg.'

Daar is oom Ben met twee grote dozen bonbons. Het doet me goed hem te zien, mijn vaders broertje die hem zijn hele leven heeft gekend, met diezelfde goudbruine teint, blauwe ogen, peinzende blik. Mama is wat slaperig. Ik vertel dat ze zo in de war is, net als papa. Ik herinner me dat oom Ben heeft meegemaakt dat papa hem uitschold in het ziekenhuis omdat hij hem niet mee naar huis nam. Het had hem door de ziel gesneden, mij ook. We praten over de wonderbaarlijkheid van de menselijke geest.

Na oom Bens vertrek zitten de bonbondozen ineens aan het plafond. Mama lacht en wijst omhoog. 'En nu veranderen ze in een auto. Kijk, allemaal beestjes, witte beestjes. Ik zou best een bonbon willen maar hoe komen we erbij?'

'Zullen we vragen of Pieter onze bedden tegen elkaar zet?'

Dat doen we wel vaker. Dan draaien ze haar bed om, zodat haar hoofdeinde naast mijn voeteneinde staat en ze mij kan zien en de kaarten op het prikbord. Bovendien kunnen we elkaars hand vasthouden.

'Moet jij het maar vragen, voor mij doet hij het heus niet.'

Als Pieter haar bed omdraait ziet ze ravijnen onder zich en ze roept: 'Help, kijk uit!'

Na de maaltijd verschijnt oom Wieger. Wat een mooie koppen hebben die Steenbeekbroers. In hem zie ik weer andere trekken van mijn vader. Oom Wieger blijft onverstoorbaar als mama dingen zegt als: 'Wieger, wil je die lampenkap even van mijn hoofd halen?' of: 'Wil je me even in bed leggen, je bent zo sterk.'

Na oom Wiegers vertrek zegt ze kordaat: 'Zo, en nu ga ik die lampenkap afzetten, en mijn schoenen moeten ook nog uit.'

'Je hebt geen schoenen aan.'

Ze trekt de sprei weg.

'Deze keer heb je gelijk.'

Er is een oorzaak ontdekt, ze heeft te weinig natrium in haar bloed, vertelt Reinier Braams. Natrium zit in zeewater en is een onderdeel van keukenzout.

Ze krijgt een infuus en Reinier zal haar goed in de gaten houden.

Het zoute water moet de wanen wegspoelen, zoals golven van de zee de boze dromen.

'Wat heeft u een leuke nachtpon aan,' zegt mama tegen de zuster die ontbijt brengt.

Ze kunnen haar beter een bakje zout water geven in plaats van een boterham met jam.

'Zouden ze dit huis van Onno hebben gehuurd?'

Elke keer als ze haar mond opendoet krijgt ze de volle aandacht.

'Waar denk je dan dat we zijn?'

'Thuis. Net stond ik in het halletje bij de voordeur, dat was helemaal verbouwd. Ik voelde me verlaten en kon alleen door de brievenbus naar buiten kijken. Daar zag ik sneeuwklokjes.'

'We zijn in het UMC, hier was je vannacht ook.'

'O, gelukkig.'

Ongelooflijk dat de geest zo kan ontsporen door het ontbreken van een beetje zout.

Rustig lezen zal er wel weer niet bij zijn vandaag, ik heb het nog nooit zo druk gehad. Na het ziekenhuis moet ik naar een rusthuis.

Net kwam er eindelijk weer een dokter bij Gerrie.

'Hij vroeg of ik vissen had. Ja, een goudvis, maar waarom moeten ze dat nou weten?'

Mevrouw Van Vulpen mag morgen naar huis.

Catherine komt op bezoek met haar zoontje Jonathan, die vlinders gaat knippen en kleuren en ze vervolgens op de borden achter onze bedden prikt, ook bij Gerrie en mevrouw Van Vulpen, zodat de ziekenkamer in een atelier verandert met kleurige snippers op de vloer, een vlindertuin.

Catherine coördineert het bezoek om te voorkomen dat er drommen tegelijk om ons bed staan en ze schept orde in de kastjes, het kastje naast ons bed dat onze wereld is, ons domein, ons rijk. Ik kan alleen maar pakken wat er op het kastje staat en wat er in het laatje zit. Achter het deurtje daaronder is alles onbereikbaar zodat ik anderen moet vragen cd's te wisselen of boeken. Het is telkens weer een opluchting als er spullen meegenomen worden naar huis. Een mooie bos bloemen is goed gezelschap maar eist een derde van je terrein op. Daarnaast ligt de walkman en staat het flesje Dolce Vita.

Mijn zusje neemt de kaarten mee die niet op de muur belanden. We krijgen nog steeds hartverwarmend veel post, net als na papa's overlijden. De eerste weken na zijn dood zaten mijn moeder en ik elke ochtend de condoleancebrieven te lezen totdat de aanvankelijk lege open haard uitpuilde van de van tranen doordrenkte papieren zakdoeken.

's Avonds heeft mama weer een waan. Alles is ineens plat, de bloemen, de bedden, de mensen, plat als de vlinders aan de muur, plat als coulissen. Daarna worden het bladen van een boek. Het boek komt steeds dichterbij.

Maar ze is zich ervan bewust dat het vreemd is en kan er rustig verslag van doen. Zou het zoute water dat haar lichaam binnenlekt zijn werk al doen?

'Ik moet u even plagen,' zegt Tekla.

De tracheostoma moet schoongemaakt. Ze haalt de binnencanule eruit, het spraakdopje eraf, en laat wat druppels in de opening vallen, waardoor mama meteen gaat hoesten, benauwder dan anders.

Ik luister naar haar ademhaling.

Tekla zal ons een geheimpje verklappen. 'Ik heb gesolliciteerd bij Oncologie, daar kan ik meer van mezelf geven. Je moet meer praten, mensen moreel steunen, moed inspreken. Je kunt werken met muziek, massages geven. Hier is het me te nuchter en te praktisch. Even een nieuwe heup, een nieuwe knie, een rug rechtzetten. Er zijn maar zelden dramatische gevallen die psychologische steun nodig hebben. Helaas maar eens per halfjaar hebben we zoiets als met jullie. Weet u nog wat u vanavond gegeten hebt?'

Stilte.

'Ik hoor niks... O ja, sorry, het spraakklepje.'

Ze maakt het ding vast.

'Zuurkool met worst.'

'Het gaat weer goed met u.'

'Heb je een vriendje?'

'Jammer genoeg niet.'

Ze vraagt of mama misschien een muziekje wil horen, een van de cd's die Catherine heeft meegenomen.

Fijn om haar zo rustig te zien luisteren.

Ik lees in De contemptu mortis, dat de vriend met wie mijn vader dit boek vertaald heeft is komen brengen. Papa heeft zich de inhoud eigen gemaakt. Ik heb hem nooit op angst voor de dood betrapt. Toen een zuster hem eens aanspoorde op een stoel te gaan zitten, had hij op kalme toon gezegd: 'Baasje, ik ben stervende en dat wens ik graag liggend te doen.'

Een tijdje later zie ik mama worstelen met de koptelefoon, waarvan de draad verstrikt is geraakt in het haloframe, en ik denk aan al die omhelzingen van papa en haar.

Mama slaapt in haar toverboot naast me, de kroon van het vrijheidsbeeld op haar hoofd.

Midden in de nacht wordt ze wakker. Ze is erg benauwd. Gespannen volg ik haar ademhaling. Die is niet normaal.

'Zal ik even bellen, mama?'

Haar bloeddruk blijkt 200 – 100, dus veel te hoog.

Misschien krijgt ze nu weer te veel zout.

'Zet dat infuus maar stop, ik ben liever gek dan dood.'

Misschien waren de slechte nieren van mijn vader een gevolg van te lang verwaarloosde hoge bloeddruk. De laatste tijd was zijn bloeddruk vaak veel te laag en begon er tijdens het dialyseren van alles te piepen zodat hij haastig met zijn benen omhoog werd gezet. Waarschijnlijk is hij op die manier meerdere malen vlak voor de dood weggekanteld.

Reinier Braams staat in alle vroegte aan mama's bed.

'U hebt die tracheostoma aangebracht hè, in de vitrine van de Postbank.'

'Nee, dat heeft iemand anders gedaan en waarschijnlijk gewoon hier in het UMC,' antwoordt hij vriendelijk.

Hij wil het natriumgehalte op peil brengen door een lichte vochtbeperking. Ze moet juist minder drinken in plaats van meer. Wonderlijk dat een mens van dit soort wankele evenwichten aan elkaar hangt.

Een dame met een hoofddoekje komt bloed afnemen bij mama.

'Het gaat in een heel leuk klein buisje,' zeg ik.

'Het buisje kan me niks schelen. Rosita is altijd een rare geweest, zocht toen ze twee was op het consultatiebureau zelf de injectie-naald uit.'

Johanna belt om te vragen hoe het met ons gaat.

Zij bekijkt het leven per dagdeel. Als ze 's ochtends wakker wordt vraagt ze zich af waarom ze nog leeft en wil ze het liefst dood. Na een paar uur gaat het wel weer. Haar broer logeert bij haar en haar kinderen zijn er veel. Ze heeft de woon- en eetkamer helemaal omge-gooid, de tafel waaraan we die avond zaten staat nu op een andere plek, ze heeft verlof van haar werk als psychotherapeute. Misschien gaat ze een praktijk aan huis beginnen, die gedachte beurt haar wel een beetje op. Alles moet anders. Ze had graag oud willen worden met Tado, hij was zo warm en zorgzaam. Je voelde je veilig bij hem.

'Je schoenen zijn gevonden bij de boom, die liggen nu hier in een doos.'

Corry, Tado's zus, was naar de boom geweest, er was een stuk van de schors af en er lagen nog veel snippers van de auto. Binnenkort zal Corry langskomen met lievelingsmuziek van Tado en artikelen over delieren.

'Het ziekenhuis is een pooghuis,' had de tweejarige Mattheus gezegd. Hij bedoelde spookhuis, want opa was erin gegaan en er niet meer uit gekomen.

Eerst had hij niet meegewild vandaag, maar daar is hij toch met zijn lange krullen, zijn vader Robert en moeder Mathilde, die we voorlopig wel voor het laatst zullen zien want die bevalling kan niet lang meer op zich laten wachten.

Hij kijkt ons een tijdje onderzoekend aan met zijn grote donkere ogen, dan gaat hij liedjes voor ons zingen, net als voor opa. Toen hij bij mijn vader op bed werd neergezet was hij spontaan uitgebarsten in gezang. 'Poesje mauw', 'Op een klein stationnetje', 'In een groen groen groen groen knollen- knollenland', 'O dennenboom'. Mijn vader had tranen in zijn ogen. Als Mattheus opa een bezoek bracht overdekte hij hem altijd met kussen, zijn wangen, zijn handen, zijn voeten. Wat moesten we zonder die cherubijntjes?

Tijdens het condoleren na de dienst had hij op de beslagen ramen van de kerk een eindeloze stoet konijnen getekend.

Gerrie mag binnenkort ook naar huis, net als mevrouw Van Vulpen. We zijn blij voor haar maar zullen haar missen. Ze mag niet meer naar de paarden.

Mama is naar de gipskamer, waar het bontje vervangen wordt dat onder haar harnas zit. Dat is altijd een aangenaam uitje, want onder het schapenvachtje gaat het op den duur ondraaglijk kriebelen.

Ze komt opgewekt terug. Haar boezem, buik en rug zijn lekker afgesopt en het was een weelde om een paar minuten bevrijd te zijn van dat knellende ding. Ze had leuk gepraat met de heren. Die gaatjes in de schedel die ontstaan zijn door de schroeven, groeien vanzelf weer dicht, hebben ze haar verzekerd. De gipsmeesters zorgen voor honderden haloframes om honderden gebroken nekken. Er worden vaak de mooiste versieringen op aangebracht, guirlandes van bloemen, ballonnen, kerstverlichting.

'Er zijn ook fashionmeisjes,' zegt mama. 'Voor bandjes, lintjes, roesjes, deze dingen.' Ze wijst op het vachtje onder haar harnas.

'Ik geloof dat je weer aan een lekkere zak zoute chips toe bent, moeder.'

Een dame komt de bloemen verzorgen. 'Die boven op de kast laat ik staan, ik heb geen zin om op een stoel te klimmen en mijn nek te breken.'

'Dat laten we over aan Herman.'

Broeder Herman voert een continue strijd tegen de bloemen. 'Een echte vrouwenzaal met al die boeketten,' verzucht hij dan.

'Achter die bomen ligt Bunnik,' zegt mama, die iets overeind mag zitten en naar buiten kan kijken. Ik zie alleen een stuk van de hemel.

'Wat zijn we daar gelukkig geweest hè?' zeg ik.

'Zorgeloos.'

Ik zie de zondoorstraalde slaapkamer van onze ouders, de kinderfeestjes in de tuin, de uitbundige sinterklaas- en kerstvieringen met veel snoep en echte kaarsjes in de boom. Ik zie hoe ik de feestjurken van mama dichtrits, zodat ze spannen om haar slanke taille en ronde heupen. Samen met papa ging ze dan de grote wereld in.

'Amersfoort was ook gelukkig en zorgeloos.'

'Ja, nou nee, jouw ziekte.'

'Toen Rosita zo ziek was raadde je me aan de psalmen te lezen,' zegt mama tegen Piet, die nu psalm 125 wil lezen. *Here maak mij Uwe wegen door Uw woord en geest bekend.*

Mama vertelt dat ze toen ze op de intensive care lag, aan alle kanten vastgebonden, een slang in haar keel, voortdurend dacht aan de regel *Ik lag gekneld in banden van de dood.*

'Psalm 116,' heeft Piet meteen paraat.

Het gekke is dat ze nooit iets had met die psalm, ze vond het eigenlijk maar een rare tekst toen ze hem op school moest leren.

Wonderbaarlijk zoals het geheugen werkt, diep in je maar toch ook buiten je wil en je bewustzijn om, dat zo'n zin uit een spelonk te voorschijn schiet en het gedachteleven domineert. Misschien hebben die woorden haar toen toch geraakt zonder dat ze het zelf besefte.

Piet bladert en leest de psalm voor. Het eindigt met de opwekkende woorden: 'En leidt mij over paden van vrolijkheid.'

Voor mij heeft hij nog iets meegenomen, de laatste, net van de persen gerolde vertaling van Openbaringen.

'Ik ben zo blij dat jij er nog bent, want dan zie ik Jan.'

'Is dat zo?' vraag ik verrast.

Hij knikt. 'Daarom zie ik dat koppie zo graag.'

Zoals ik de gezichten van oom Ben en oom Wieger afspeur naar trekken van papa, zo doet Piet dat bij mij.

Een oud-assistent van mijn vader zei dat hij het zo bijzonder vond mij te horen spreken in de rouwdienst. 'Het was de dochter over de vader maar ook de vader zelf, in uiterlijk, bewegingen en toon. Dat je de rouwende kerk hebt laten lachen was helemaal in zijn stijl.'

Het troost me dat ik besta uit hem, uit wezenstrekken van hem, bouwmaterialen van hem gemengd met die van zijn grote liefde.

In mijn tuinkamer lees ik in Openbaringen.

Mama slaapt rustig naast me. De ravijnen lijken gedempt, de kikkers zitten weer in de vijver, de auto staat in de garage, zij ligt gewoon weer in bed. Het grote toverboek lijkt dichtgeslagen.

Er vliegt een helikopter vlak langs het raam. Het zal de traumahelikopter zijn die zo gaat landen op het dak.

Midden in de nacht heeft mama per ongeluk de triflow te pakken. Waarschijnlijk zocht ze het klokje. Ze doet vergeefse pogingen hem terug te zetten op het tafeltje waarbij de balletjes telkens een rammelaargeluid veroorzaken. Ze fluistert: 'Dat rotding.' Ten slotte valt hij toch met luid kabaal op de grond. *De sterren vielen op de aarde zoals late vijgen die door een stormwind van de boom worden gerukt.*

Zoute golven

'Het natriumgehalte is nog geen 134 maar 114,' zegt Reinier Braams, aan wie mama net heeft verteld dat er een helikopter in de kamer staat. Ze beseft dat het niet echt zo is maar ze ziet hem en kan hem niet wegsturen.

'Dat lijkt me heel onprettig,' zegt Reinier begrijpend. 'Het natrium is wel verbeterd maar we zijn er nog niet.' Ze gaan door met de vochtbeperking en af en toe eens een extra hartig hapje kan geen kwaad.

Onze nieuwe kamergenote Grada vertelt dat haar moeder doordat ze niet meer wilde eten na de dood van haar man, zingende engelen op haar bed had zitten.

Ze maken het wel vaker mee hier, zegt zuster Emily. Een tijd geleden was er een dame die na een rugoperatie elke nacht marsmannetjes door haar kamer zag lopen en daar heel bang van werd. Het hielp niks als je haar vertelde dat die er niet waren. 'Toen we op een bepaald moment zeiden: "Die helpen de verpleging en zorgen voor de elektriciteit," was ze rustig.'

Grada krijgt straks een nieuwe heup. Ze is aangeskied door een Franse dame en zit nu na een mislukte operatie al een jaar in een rolstoel. Ze wordt vertroeteld door haar man, hij hangt haar kleren op, schenkt een drankje voor haar in, organiseert haar kastje. 'Ze is het liefste wat ik heb.'

Naast Grada ligt een oude dikke mevrouw die is aangereden door een auto en voor de zoveelste keer aan haar arm moet worden geopereerd. Ze heeft geestelijk ook een klap gekregen en bovendien is ze erg doof. Ze scharrelt rond in haar roze nachtpon als een grote dikke baby en kijkt meewarig naar het bord aan het voeteneinde van haar bed waar 'Nuchter' op staat. 'Ik zal wel niks te eten krijgen,' mompelt ze. 'Nee, ik krijg niks te eten.'

Toen ze gisteren gebracht werd door haar dochter en vroeg of ze na de operatie op bezoek zou komen, zei de dochter dat dat niet zou lukken.

'En Els?'

'Die kan haar kinderen niet alleen laten.'

'En Dirk?'

'Die is op zijn werk. Maar je zult zo dizzy zijn dat je toch niks van bezoek merkt.'

Als onze overbuurvrouwen worden afgevoerd naar de operatiekamer rijdt de etenskar binnen. De man van Grada drapeert met een elegant gebaar nog snel even een servet over onze buik. Hij is butler geweest.

Maar we zijn deze chique bediening niet helemaal waard: ik gooi een paar keer bruinebonensoep in mijn hals en mama kiepert de karnemelk over haar krentenbol. De zuster vindt kaascrackers in mama's haar.

'Je lijkt meneer Nijland wel.'

Omdat de afdeling Interne Geneeskunde, waar mijn vader lag, werd verbouwd, werden die patiënten tijdelijk ondergebracht bij Geriatrie. Daar leerden we meneer Nijland kennen, een voormalig architect met een allervriendelijkste uitstraling die aan een snel voortschrijdende vorm van dementie leed. Hij liep rond met een houten hamertje en wat stukken hout en kwam voortdurend buurten bij mijn vader om te zeggen dat hij zoveel van hem hield of om te waarschuwen dat de Duitsers eraan kwamen. Soms was mijn vader vriendelijk of merkte het nauwelijks, soms riep hij geërgerd: 'Laat die gek opsodemieteren!'

Toen mama en ik een keer koffiedronken in de recreatiezaal kwam hij naar ons toe en vroeg om koek.

'Niet geven,' zei ik.

Mama kon het hem niet weigeren, waarop hij de koek met een tevreden gezicht in zijn haar smeerde. Daarna ging een zuster een hoed voor hem vouwen van een krant.

'Kijk, dit is mijn bril,' zegt mama. 'Dit is mijn horloge, maar hier begint de helikopter. Hij staat nog steeds tot aan mijn neus. Er waren bloemetjes op gestrooid maar die zijn er weer afgevallen.'

Mama houdt me op de hoogte van haar visioenen en is zich ervan bewust dat het allemaal zeer wonderbaarlijk is. Langzaam maar zeker valt de helikopter weer uiteen. Zou dat nou echt door die pittige bruinebonensoep komen? In de artikelen die Tado's zus, Corry, mee heeft genomen staat dat een delier bijna altijd organische oorzaken heeft.

Grada komt terug met een plastic zak vol bouten en schroeven die in haar heup hebben gezeten, haar buurvrouw zien we voorlopig niet terug want die is verhuisd naar de medium care. Op haar plek komt een meneer van wie de doorligwonden moeten worden gespoeld. Twaalf jaar geleden is hij door een val tijdens het werk vanaf zijn middel verlamd geraakt. Er wordt een speciaal bed binnengereden dat eruitziet als een zware blauwe badkuip maar het is een zandbed waar voortdurend lucht doorheen wordt geblazen en het maakt erg veel lawaai.

Mama en ik zoemen mee met onze tandenborstels. Door een rietje met een knik erin zuigen we water uit een tuitbekertje en spugen dat na gespoeld te hebben, door het rietje in een kartonnen spuug-bakje. Gek dat ik dat al gewoon vind. Mama kan het spuugbakje niet vinden en spuugt het door haar rietje in een glas appelsap. 'Wie niet sterk is moet slim zijn,' zegt ze.

Patricia staat op onze zaal maar wordt voortdurend weggeroepen naar andere zalen.

Ze verzorgt de tracheostoma.

'Ik heb medelijden met je,' zegt mama.

'Het enige wat ik vanavond nodig had was mijn hamer,' zegt Patricia. 'O, u bent ook sla aan het verzamelen geweest.'

Een van de medische studenten die 's avonds koffie rondbrengen komt zeggen dat Wesley belt, een patiënt op een naburige zaal.

'Hij moet niet zeiken, zeg dat maar tegen hem.'

Zuster Emily kijkt om de hoek en vraagt: 'Zal ik even naar je bel gaan?'

'Schiet maar uit je slof hoor. Behalve als het mevrouw Claassens is, dan moet je lief zijn.'

Mama steekt haar hand uit naar het bijbeltje om psalm 116 nog eens na te lezen en gooit haar pillen op de grond. Als Patricia ze zonder sputteren heeft opgeraapt, zegt mama: 'Kom even gezellig bij me liggen, je hebt het zo druk.'

Patricia lacht en zegt allerhartelijkst het te betreuren dat ze daar geen tijd voor heeft.

Mama is onrustig, voelt zich alleen.

'Mama, ik lig naast je.'

Ze wijst op de grote bos witte rozen. 'Mooi hè? Zullen we die dan maar psalm 116 noemen?'

Als alle lichten zijn gedoofd luister ik naar het Te Deum van Bruck-ner dat ik vanmiddag kreeg van mijn voormalige geliefde. Hij ver-telde dat de componist, eenmaal staand voor Gods troon, zou hebben gezegd: 'Dit heb ik voor U gemaakt.'

Later in de nacht hoor ik alleen nog het gezoem van de lucht door het namaakzand tegen de doorligplekken.

We zijn hier allemaal aan het doorliggen. Wanneer ik op mijn rechterzij lig, even, geklemd in mijn korset, voel ik hoe de linkerkant van mijn lijf zwaar op de rechterkant weegt. Ik voel mijn botten door mijn vlees zakken. Het vlees slinkt en lekt in zakken en matrassen. De aarde zuigt.

An die musik

Als ik 's ochtends op de douchebrancard lig, waar ik door drie zusters op ben getild die vinden dat ik wat meer moet eten, wordt er gevraagd of ik een psychiater te woord kan staan over mijn moeder. Een co-assistent. Ik ben inmiddels alle schaamte voorbij en zeg: 'Vanzelfsprekend.'

Hij lijkt verlegener dan ik, ziet niet zo veel blote patiënten waarschijnlijk. Er was hem iets ter ore gekomen over een helikopter. Ik deel hem mee dat die inmiddels is gedemonteerd, dat mijn moeder zich nu bewust is van haar wanen, die overigens lijken te verdwijnen. De wereld was alleen nog even in een boek veranderd. Ik denk aan zijn gezicht te kunnen zien dat hij tevreden is over zijn studiekeus.

Na afloop van de kerkdienst komen er twee mensen naar me toe, een man en een vrouw. Ik had ze al zien zitten, hij in kamerjas, zij gewoon aangekleed. Ze geven me een hand.

'Wij komen uit Ermelo. Vannacht hebben we naar een cd geluisterd.' Ik kijk hen onderzoekend aan, en vraag me af of ik hen eerder heb gezien.

'We gingen altijd naar de Lucaskerk, de kerk bij de psychiatrische inrichting, waar Tado vaak preekte. Mijn vrouw is ouderling.'

'Hij zingt daar in het koor.'

'Ik heb ook met Tado gezongen.'

'En de rol van Jezus in de *Matthäuspassion*.'

Hij heeft wel iets van Christus, met dat serene gezicht, het korte baardje.

'En wat was er met die cd?'

'Ja, zo toevallig, een cd met opnames die in de Lucaskerk zijn gemaakt, ook met een solo van Tado. Vannacht hebben we daarnaar geluisterd en nu zien we jou.'

'Ik kan hem je wel geven,' zegt de vrouw en ze vraagt op welke afdeling ik lig.

Een vrijwilligster rijdt me naar de koffiekamer, waar we verderpraten.

Ze waren dol op Tado, hij had zo veel aandacht voor anderen. Hij deed ook therapieën, ging wel naast iemand op de grond in een isoleercel zitten. In de keuken zat hij vaak met zijn benen op tafel. Hij was onconventioneel, chaotisch soms.

Daarin leek hij op mijn vader.

'Alles was mogelijk in de Lucaskerk. Er werd bijvoorbeeld geroepen: "Ik wil zingen!" Soms werd er ook gehuild. Een keer riep een vrouw: "Ik voel me zo eenzaam." Tado stopte meteen met zijn preek, ging naast haar zitten en sloeg een arm om haar heen. De organist pakte het op, begon te spelen.'

Ik vertel over die laatste avond met Tado en Johanna, over het ongeluk en dan vraag ik waarom hijzelf in het ziekenhuis is.

Langgeleden heeft hij een niertransplantatie ondergaan. Onlangs is er non-Hodgkin bij hem geconstateerd, een kwaadaardige lymfeklierkanker. Deze week mag hij vermoedelijk naar huis, ze kunnen niks meer doen. Het ziet er niet zo goed uit.

Mama kan zich haar waan van gisteren haarscherp herinneren. Het verliep allemaal heel systematisch. Eerst leek het nachtkastje op een kastje van een zendamateur, uitpuilend van draadjes en knopjes, vervolgens werd het onderdeel van de helikopter. De televisies waren de raampjes, gedeelten van het plafond die loszaten werden deuren.

Zuster Annet vindt het ook heel gek dat ze zich alles kan herinneren.

'U was wel heel erg in de war in het begin.'

'Ja, ik dacht: wat een raar ziekenhuis zonder bedden.'

Annet vraagt of ze nog iets kan doen. Mama wil graag een glaasje water en een boek.

'O ja, en ik wilde nog iets vragen: Hoe heet je hondje?'

Annet straalt. Meer dan een week geleden had ze verteld dat ze geen kinderen heeft maar wel een heel leuk jong hondje.

Ik heb het gevoel dat ik erg nodig moet plassen, een gevoel dat ik al in geen tijden heb gehad. Stiekem draai ik me een beetje op mijn zij en trek aan de slang de katheter omhoog. Leeg. Dat klopt niet, want ik heb veel gedronken. Ik kijk naar de zak van mama. Daar staat een aardig laagje in.

Ik wacht tot Patricia in de zaal is, bij Annet loop ik het risico dat ze me weer op een schuitje zet.

'Patricia, heb je je gereedschapskist bij je?'

Ze lacht.

'Heb je mijn hamer nodig?'

Ze buigt zich over het probleem en lost het meteen op door een nieuwe katheter aan te leggen.

Het zandbed met meneer Den Hartog wordt weggehaald want het maakt toch te veel herrie en er is ruimte naast een dove dame.

De butler had geklaagd dat zijn opengesneden en vertimmerde lieveling niet kon slapen.

Ter vervanging van die blauwe badkuip wordt een fles rode wijn binnengebracht, kort daarna gevolgd door een man in net zo'n korset als ik, waardoor hij uitermate rechtop en robotachtig beweegt. Olivier.

Hij is klein en tenger met een frisse open blik. Een vrachtwagen heeft hem geschept toen hij met tien vrienden een tocht maakte op de motor.

'Ik bofte dat het in Duitsland gebeurde. Binnen een kwartier had een helikopter me van de weg gehaald en lag ik op de operatietafel.'

In het ziekenhuis in Duitsland was een kroeg. 's Nachts hoorde je een kabaal van jewelste, als al die dronken mannen in rolstoelen naar hun kamer terugkeerden. Hij begrijpt het wel dat je naar het glas grijpt, is zelf op het nippertje aan de rolstoel ontsnapt.

Onlangs is hij op de televisie geweest, vertelt hij, alleen zijn vlees en bloed, bij *Afslag* UMC, het enige programma waar ik wel eens naar kijk. 'Je kon zien hoe de chirurg met een scherm voor zijn gezicht acht bouten in mijn rug zette.'

Zelf bouwt hij winkelcentra.

Tante Stieneke, een dierbare vriendin van mijn moeder die we al kennen uit de Bunnikse periode, zit bij het bed van mama en vertelt dat ze vanochtend naar het kerkhof is geweest. Ze heeft een plantje gezet op het graf van oom Maarten, haar twee jaar geleden overleden man, en op dat van papa. We zijn met elkaar op vakantie geweest, hebben veel mooie avonden met elkaar beleefd waarbij die twee mannen grote sfeermakers waren.

Lettie komt weer even kijken hoe het met ons gaat, opgewekt als altijd.

'Hier werken ze veel harder. Wij hebben ieder maar één klantje. Als de apparaten goed staan ingesteld gaat het vanzelf, tenzij je een speciale piep hoort.'

'Wat is dat voor een piep?'

'Je hebt een tweesterren- en een driesterrenalarm. Het driesterrenalarm klinkt als de bel bij een spoorwegovergang. Dan is de situatie levensbedreigend, een hartstilstand bijvoorbeeld. Op de monitor verschijnt een rode balk.'

Ze vindt het een mooi beroep, het bepaalt je bij de essentie. Ze gaat nooit weg zonder afscheid te nemen, in het ziekenhuis niet en in het leven daarbuiten niet.

'*Cara.*'

Een stem uit Italië, van Tonino. Hij is somber, brengt elke dag een bezoek aan zijn stervende broer van negentig. 'Dan probeer ik hem op te beuren met verhalen over de hemel en wie hij daar allemaal gaat zien en dat soort kletspraat.'

Hij vraagt of ik het allemaal volhoud. Zelf is hij ook een overlever: toen hij tijdens de oorlog in een concentratiekamp zat hield hij de stemming erin bij zijn lotgenoten door net te doen of hij de meest verrukkelijke maaltijden voor hen kookte. Later zou hij schrijven: *Gelukkig, echt gelukkig was ik pas toen ik naar een vlinder kon kijken zonder de behoefte die op te eten.* 'Kom maar snel terug naar Italië,' zegt hij, 'je hebt een warme plek nodig.'

Het is te onrustig op de zaal om naar Tado te luisteren. Ik zal wachten tot iedereen weg is en ik me terug kan trekken in mijn tuinkamer.

Olivier heeft tien mensen op bezoek, onder wie zijn grote weelderige echtgenote. De butler die de hand van zijn geliefde streelt kijkt fronsend en heeft misschien heimwee naar het monotone zoemen van het zand.

Mama probeert een artikel van Carel ter Linden te lezen, over het beeld van God, dwars door het rumoer van het gezelschap heen. Ik vrees dat de helikopters straks weer aan komen vliegen.

'Vannacht slaap ik met drie vrouwen,' hoor ik Olivier zeggen.

Ik verlang naar een nieuwe liefde en naar dansen.

Een beetje gespannen doe ik de cd in mijn walkman en zet hem op.

De stem van Tado.

An die Musik

Du holde Kunst in wieviel grauen Stunden, wo mich des Lebens wilder Kreis umstrickt, hast du mein Herz zu warmer Lieb' entzunden, hast mich in eine bess're Welt entrückt. Oft hat ein Seufzer, deiner Harf' entflossen, ein süsser heiliger Akkord von dir den Himmel bess'rer Zeiten mir erschlossen, du Holde kunst, Ich danke dir dafür.

Ja, vooral de muziek – houdt me op de been klinkt wat vreemd – maakt dat ik het liggen volhoud.

Het is zo schokkend om Tado's stem te horen, zo dichtbij en indringend. Ik herinner me nu dat er sprake van is geweest dit lied te laten klinken op zijn begrafenis, maar daar is van afgezien omdat Tado tijdens de opname verkouden was en dat zelf heel vervelend vond. Die ietwat aangetaste stem maakt het juist des te ontroerender.

Ik zie het gezicht van mijn vader voor me als hij luisterde naar de Bachcantates. Dezelfde muziek klonk op hun beider begrafenis.

'Ik denk dat ik alle pillen op de grond heb gegooid,' zegt mama.

Vannacht dacht mama dat ze naast papa lag, door een bobbel in de dekens.

Zou ze daar ooit aan kunnen wennen, alleen slapen, na zesenveertig jaar samen? Ook 's middags op de bank deden ze vaak dutjes in elkaars armen.

'Kun je even helpen Sander over te tillen op de douchebrancard?'

Het leven is in volle gang, ik hoor de verpleegkundigen in drukke bedrijvigheid, en soms de rustige stemmen van de artsen. 'Is meneer Arends alweer bij de pinken of nog in de bonen?'

Gek dat ze het net zo druk hebben met mensen die wij niet kennen.

Onze kamer is een tentenkamp, om alle bedden zijn de gordijnen dichtgetrokken. Grada zit op de po, Oliviers hechtingen worden eruit gehaald, ik onderga een wasbeurt.

'Even een koud gevoel, mevrouw Steenbeek.' Mijn moeders blaas wordt doorgespoeld.

'Huu! Net of je in een koud zwembad springt.'

Mathilde belt, ze wilde vandaag langskomen maar ze wordt vastgehouden in het ziekenhuis omdat haar bloeddruk te hoog is, dus het zesde kleinkind zal vandaag of morgen van de partij zijn. Ook deze tweede fles champagne heeft zijn langste tijd gehad.

Even later belt Mattheus en zegt met zijn lieve stemmetje: 'Mama is in het ziekenhuis, maar ze is niet ziek en er is geen bloed.'

Mathilde vertelde dat Mattheus als toegewijde minnaar haar hele been had overdekt met kussen en gezegd had: 'Mama, je bent mijn dikke, dikke beer.'

Inmiddels is besloten dat ze de bevalling morgenochtend om halfacht gaan inleiden.

Catherine zal op Mattheus passen en komt in plaats van morgen vandaag naar ons toe.

Ze is weer onder de indruk van ons overvolle leven.

Ja, ik lig nu zes weken op mijn rug maar heb het nog nooit zo druk gehad.

Wassen, de zaalarts, de bloemenverzorgster, de postdame, een verpleegkundige van een vorige afdeling die wil weten hoe het gaat, pastorale verzorging, de schoonmaker, de huisarts, drie psychiaters, de koffiejuffrouw, een gipsmeester, een nieuw boeket bloemen, nog een keer de koffiejuffrouw, de diëtiste, de zaalgenoten met hun aanhang en natuurlijk de bezoekers.

Ati, onze fysiotherapeute, komt binnen als een wervelwind. Ze oefent met mijn moeder die haar niet vastgebonden been omhoog moet steken waarin ik de vorm van mijn eigen been herken.

'Hoe ben je hier gekomen?' vraagt mama.

'Met de benenwagen.'

'Niet met de step?'

Catherine kijkt verschrikt. Maar Ati lacht en zegt: 'Nee, alleen naar het WKZ gaan we op de autoped.' Er was ons verteld dat er aan beide kanten van de onderaardse tunnel die de ziekenhuizen – het UMC en het Wilhelmina KinderZiekenhuis – met elkaar verbindt, steppen staan.

'Ik kijk ernaar uit met jou aan de slag te gaan,' zegt Ati tegen mij als ze de zaal weer verlaat. Tot nu toe is het enige wat ik kan doen mijn spieren spannen.

Nadat Catherine ons kastje weer op orde heeft gebracht en boodschappen heeft uitgedeeld, leest ze herinneringen voor van een oud-student aan papa.

Hans moest een tentamen afzeggen omdat zijn vader was overleden. Onze vader had daar natuurlijk begrip voor, zijn condoleantie betuigd maar ook gevraagd: 'Erf je goed?'

We moeten vaak lachen maar ten slotte huilen we.

Zuster Hannah deelt tissues uit.

Ja, het is druk, maar toch is dit ook een plaats om te mediteren. Je beschouwt, kunt niet deelnemen, kijkt naar het leven, naar pijn en verdriet. John Donne noemde het bed een graf, maar zo ervaar ik dat niet. Het is ook een louteringsoord, een plek voor een bewegingloze pelgrimage, van elke verantwoordelijkheid ontdaan, zonder bezit.

Emily en Annet, die late dienst hebben en dientengevolge de voorbereidingen voor de nacht begeleiden, doen weer heel wat vondsten in en onder ons bed. Wij gooien weer van alles op de grond, mama haar telefoon met rinkelende galm, ik mijn tissues met zachte plof. Soms klinkt er een kreetje, soms een gelaten zucht. Je went eraan dat alles je ontglipt.

Een engel in de nacht

Als alle lichten uit zijn, ook het mijne, luister ik naar de *Matthäus-passion*. Tijdens de stiltes hoor ik het ademen en zachte snurken van mijn kamergenoten, allemaal aan stukken, allemaal lijdend. Ik voel me met hen verbonden, niet alleen met mijn moeder, ook met de anderen die ik straks waarschijnlijk nooit meer zal zien, en de mensen op de andere kamers van wie we soms alleen de stem horen. Ook zij zijn in dit vreemde leven gezet, waar ze de zwaarste dreunen oplopen, en ook zij moeten weer door, maken weer plannen, voor jaren, weken, soms slechts dagen.

Daar is Herman, oplichtend in zijn witte pak, als een krachtige engel in de nacht. Met een zaklantaarn in zijn hand kijkt hij even bij de anderen, voorzichtig. Hij staat bij het bed van Olivier en fluistert: 'Ben je er weer?' Hij vervangt de penicilline bij Grada, kijkt bij mama, die diep ligt te slapen.

Ik zie weer voor me hoe hij me van de EHBO haalde, hoe ik hier lag die eerste nacht, drie onbekende mannen achter de dichtgetrokken gordijnen, hoe hij ernstig voor me zorgde. Nu zorgt hij ook voor mijn moeder.

Hij bestudeert de hoes van mijn cd.

'Dit is voor de geestelijke genezing, het zielsherstel,' zeg ik.

'We gaan hem uitvoeren over twee jaar. Dat is vanavond definitief beslist.'

Hij had repetitie van het kerkkoor. 'Ik vind de uitvoering van Herreweghe trouwens mooier, Von Karajan is wat galmend.'

Ik zie de schaduw van zijn krullen op het plafond.

Het ontroert me, deze jonge man met de krullen van mijn vader die zo doortastend zorgt voor de lijdenden, met een zekere strengheid maar ook vriendelijk, en die vanavond bovendien gezongen heeft.

Ik luister.

'O hoofd bedekt met wonden.'

Ja, freilich will in uns das Fleisch und Blut zum Kreuz gezwungen sein;
Je mehr es unsrer Seele gut, Je herber geht es ein.

Wat zou papa het vreselijk gevonden hebben ons zo beschadigd te zien. Dat is hem bespaard. Maar als hij niet dood was gegaan was dit ook niet gebeurd.

'Het is volbracht.'

Ik zie papa voor me.

Die laatste momenten.

Ik zie weer hoe mama en ik met mijn vader door de gangen reden naar de intensive care, de avond voor de operatie, waar hij zo goed mogelijk op de ingreep zou worden voorbereid. Op de dialyse had hij al extra zakken bloed gekregen en ze wilden van tevoren een lange lijn inbrengen. Door middel van die lijn die via een ader achter het sleutelbeen rechtstreeks het hart in loopt, zouden ze voor en tijdens de operatie de circulatie van bloed en vocht onder controle kunnen houden.

We werden opgewacht door een allerliefste zuster aan wie mama ooit tekenen en handenarbeid gegeven had.

Dat kon dus niet beter.

Papa was rustig, zoals hij op de momenten dat het eropaan kwam altijd was. Om iets onbenulligs kon hij wel eens een rel schoppen.

Nadat de IC-arts twee keer had mis geprikt zei hij staand aan het bed van mijn vader: 'Ik probeer het nog één keer. Op die twee plekken kan het niet meer want hij kan een klaplong krijgen en dat is niet zo fijn voor een patiënt als hij. En twee klaplongen al helemaal niet.'

Je zou zo'n vent toch aan een lange lijn hangen!

Op de gang zeg ik kwaad tegen hem: 'Dat moet u toch niet zeggen waar mijn vader bij is.'

'Hij moet de risico's kennen.'

'Hij heeft toch geen keus?' Leer eerst maar eens prikken.

In Italië is het misschien het andere uiterste, daar zijn ze in staat om tegen iemand met een lijf vol metastasen te zeggen: 'Het gaat geweldig met u, *tutto fantastico*.'

Onno wilde nog langskomen met de familie. Wij raadden dat af, die twee kinderen zouden hem te veel vermoeien en bovendien waren ze verkouden. Papa moest zijn krachten sparen voor de volgende dag.

Ze zijn toch gegaan. Onno belde, opgetogen want het was een groot succes geweest. Papa was helder, kalm en kleine Jan was lief en wijs, had heel rustig met opa gepraat en zijn arm gestreeld. Hij had hem een tekening gegeven die aan de muur is geprikt, van een figuur met vijf hoofden, heel veel benen en armen met grote spierballen: de helpers van opa.

Onno had Herman Hart opgebeld en raad gevraagd. Die had gezegd dat hij moest gaan en dat hij van tevoren bij hem langs kon komen om lapjes te halen die ze voor hun neus en mond konden doen.

Ik had 's nachts wel in het ziekenhuis willen blijven slapen, maar dan zou mama alleen zijn. Er waakte die nacht een erg aardige broeder over hem die zou bellen als het gelukt was met de lange lijn.

Om halftwee 's nachts ging de telefoon.

De broeder vertelde dat de lange lijn was ingebracht.

Zo laat!

De ic-arts had nog een vergeefse poging gedaan waarna er een anesthesist bij was gehaald, dat zijn de beste prikkers. Waarom lieten ze dat dan niet meteen door een anesthesist doen bij zo'n zwakke man?

Hij verbond me nog even door met mijn vader.

'Lieve papa. Het is gelukt.'

'Dag liefje,' klonk het heel zwak. 'Kom je?'

'We komen morgen in alle vroegte, eerst gaan we even slapen. Ik lig naast mama op jouw plekje, waar jij zelf gauw weer ligt.'

De volgende ochtend waren we heel vroeg op de intensive care. Catherine kwam ook uit Amsterdam. Papa lag aan het dialyseapparaat en was erg zwak. De dialyse putte hem altijd uit maar het leek de artsen toch beter zijn bloed vlak voor de operatie nog een keer te spoelen. Gelukkig was er nu een andere intensivist, een aardige, wat oudere man.

Om beurten zaten we bij mijn vaders bed.

Aan de muur de tekening van Jantje, de helpers van opa, met hun talloze armen en benen.

Op de gang ontmoette ik de ziekenhuispastor, die net bij een overledene vandaan kwam. Hij had af en toe een bezoek gebracht aan papa en we hadden wel eens een dienst van hem bijgewoond. Ik vertelde dat mijn vader straks geopereerd zou worden en dat ik me erg opgewonden had over die arts van gisteren. 'Dat zeg je toch niet tegen iemand die zo zwak is en die geen keus meer heeft.' We gingen even op een bankje zitten in de gang.

Je kunt die dingen wel zeggen, zei hij, maar dit was niet het goede moment.

Zo veel dingen hangen af van het moment. Het moment waarop je iets zegt, het moment waarop je iets doet.

'Rosita, kom, het gaat niet goed.' Catherine met angstige ogen.

'Wat?! Wat gaat niet goed?!'

'Met papa niet.'

Ik spring op, ga achter haar aan.

'Zijn hart is erg zwak,' zegt de arts rustig.

'Maar dat kan niet, zijn hart was goed, zeiden ze.'

'Nee, het is niet goed.'

Ik word boos.

Zijn bloeddruk is heel laag, hij heeft hartritmestoornissen.

Ik kijk naar de monitor, zie heel zwakke curven. De onderdruk is dertig.

Ik kijk naar papa. Hij heeft zijn ogen dicht. Naar mama, over hem heen gebogen.

'Ik ga niet ingrijpen,' zegt de arts.

Mama slaat haar armen om hem heen, Catherine ook. Ik omhels hen alledrie en kijk naar papa's gezicht.

Hij ademt diep, langzaam. Zijn ogen zijn dicht, zijn gelaatsuit-drukking is rustig.

Dan lijkt zijn gezicht zich te spannen. Het is alsof een laatste, heel krachtige golf leven en bloed door hem heen spoelt.

En hem meeneemt.

Het is stil.

De arts zegt zacht en rustig: 'Uw man, uw vader is overleden.'

We huilen,

Ongelovig.

Omhelzen elkaar.

Kussen papa.

'Het is goed zo,' zegt mama.

Ze was zo bang voor de operatie, dat hij niet van de beademing af zou komen.

De krachtige arm van een engel heeft hem net op tijd wegge-haald.

Om halfzeven leegt broeder Herman de katheterzakken. Mama heeft zich weer losgewoeld en is wakker. Hij stopt haar liefdevol toe. 'Zo, nog even lekker slapen.'

Daarna komt hij naar mij.

'Wat is er met je? Heb je pijn?' Hij ziet dat ik heb gehuild.

'Nee, ik dacht aan mijn vader.'

'Die is pas overleden hè?'

Ik knik.

'Zullen we jou nog even in je korset stoppen en nog even op je zij?' Hij legt de bovenschelp over me heen, ritst die aan de onderschelp en plakt het klittenband van de riemen vast. Hij doet de hekken omhoog, duwt me voorzichtig op mijn zij en legt een kussen in mijn rug.

'Wil je ook een kussen tussen je benen?'

Mijn knieën doen pijn als ze op elkaar liggen.

'Graag, het is wel erg schamel gebeente geworden.'

'Gaat snel hè, blijft niks van over.'

Hij legt een groot zacht kussen tussen mijn knokige knieën.

'Morgen foto's, las ik.'

'Ja, benieuwd of ik weer aan elkaar ben gegroeid.'

'Spannend.'

'Hoe vind je het om nachtdienst te hebben?'

'Fijn, rustig.'

'Slaap lekker straks.'

29 januari

Nu is mijn zusje aan het bevallen. Mama heeft een bloem gemaakt van die blauwe papieren waar de verpleging dagelijks verslag op doet over de patiënten en vraagt of de bloem straks, als het kindje veilig ter wereld is gekomen, op haar haloframe kan worden vastgemaakt. Dat wil Patricia, die met paarse handschoentjes de tracheostoma verzorgt, wel doen. 'Op uw kroon.'

Er rolt iets op de grond.

'Onder het bed van Rosita.'

Het was het spraakklepje.

Mama zegt dus niks.

Ploink, daar gaat mijn Dolce Vita waar ik mijn handen mee wilde insmeren.

Olivier, die me net een fles wijn heeft gegeven omdat hij straks naar huis mag, lacht: 'Jullie maken er wel een zootje van. Gaat dat thuis ook zo?'

Een donkerharig meisje komt me ophalen om me naar de röntgen te brengen. Ik laat me nog even een broek aantrekken, katheter erdoorheen. Het is voor het eerst na anderhalve maand dat ik weer een onderbroek aanheb.

Bij een parkeerplaats voor rode karretjes staat een man ons op te wachten. Ze maken mijn bed vast voor zo'n wagentje, stappen erop en daar zoeven we weg door de gangen, langs schilderijen, tekeningen, beeldhouwwerken, onder palmen door, over open pleinen die overdekt zijn met glas waarachter de blauwe hemel. Deuren gaan vanzelf open, soms schiet een mens voorbij in het wit, soms in kleren van de buitenwereld, de andere wereld.

'Wat een mooi gebouw, van de buitenkant heb ik het nog nooit gezien want ik ben hier buiten westen binnengebracht.'

Ze vragen wat er is gebeurd.

'Auto-ongeluk, samen met mijn moeder en mijn neef. Mijn moeder ligt hier ook, mijn neef is overleden.'

'Bij Soesterberg?' vraagt de man.

'Ja,' zeg ik verbaasd.

'De vader van Ben? Dominee?'

'Ja.'

Ben is een collega van hen. Hij heeft lang niet gewerkt, is erg ontdaan door de dood van zijn vader, met wie hij een sterke band had. Sinds kort werkt hij halve dagen.

'We zien hem straks.'

'Ik wist helemaal niet dat hij hier werkte. Zeg hem dat we hem graag willen zien, dat wij het erg fijn vinden als hij eens naar ons toe komt, iets drinken.' Dat zullen ze doen.

Ik word geparkeerd in een soort glazen bushalte en zij gaan weg. Overal zitten rode stopcontacten, voor morfinepompen, beademingsapparaten, speciale bedden. Toevoer van elektriciteit om mensen in leven te houden.

Hoe zou het gaan met mijn rug, het kan natuurlijk tegenvallen. Tot nu toe was ik erg laconiek, maar ik zou toch wel weer door de straten van Rome willen slenteren en ook wel weer willen dansen.

Een jonge man zonder onderbenen rolt de deur van de röntgenkamer uit en in zijn eentje gaat hij de hoek van de gang om. Hij had een aardig, intelligent gezicht.

Door twee in het wit geklede dames word ik een donkere ruimte binnen gereden. Ze groeten me niet, vragen niet hoe het gaat, controleren alleen mijn naam.

'Ze moet plat blijven liggen,' zegt de een, die een briefje bekijkt, tegen de ander.

Vervolgens schuiven ze me met behulp van een zilverkleurig matje van mijn bed op een tafel en draaien wat met het enorme apparaat boven me dat door mij en mijn korset heen kan kijken, tot het precies het gebroken stuk rug in het vizier heeft. Daarna verdwijnen ze in een hok.

'Even adem inhouden,' klinkt het door een microfoon.

Nog een keer moet ik mijn adem inhouden.

Ik zie weer voor me hoe papa kort voor de operatie in zo'n zelfde ruimte lag en hoe hij zich op eigen krachten van zijn bed naar de tafel verplaatste, wat mama en mij zo hoopvol stemde.

Ik word weer in de bushalte geparkeerd, waar ik wacht tot ze me op komen halen.

Terug op zaal rinkelt meteen mijn telefoon. Mathilde?

Als we op konden veren hadden we dat gedaan.

'U spreekt met het politiebureau van Soest. Hoe gaat het met u?'

De agent vertelt dat hij en zijn collega er die nacht de hele tijd bij zijn geweest, en dat ze veel contact hebben gehad met de familie van Tado.

'Maar we willen graag nog een verklaring van u.'

Ik doe verslag van die avond, de momenten voor de klap.

Of ik iets vreemds aan Tado had gemerkt, hoe hard we reden, of er andere auto's waren.

'Zat u in de riemen?'

'Ja.'

'Dat hebben we inderdaad kunnen zien. Er ontstaan een soort brandsporen.'

Het volgende telefoongerinkel klinkt bij mama.

Ik kijk naar haar gezicht.

'Hij is er hoor,' had Mathilde rustig gezegd.

Ik hoor hem schreeuwen, Julius Jan.

Alles is voorspoedig verlopen, een gezonde zoon ligt in de armen van een gezonde moeder.

Mattheus kijkt en kijkt: zijn dikke dikke beer met een ander.

Onno komt straks bij hen langs met de videocamera en rijdt meteen door naar ons.

'Champagne!!' zegt mama.

Straks met Onno.

Daar zijn twee van de drie psychiaters. Ze kijken met een mengeling van geamuseerdheid en achterdocht naar de enorme bloem op het haloframe en dan vraagt een van hen voorzichtig aan mij: 'In welk stadium zijn we nu?'

'In een feeststadium. Er is net een nieuw kleinkind geboren.'

Dat moet Ben zijn, die lange jonge man die de zaal binnen komt. Ik herken de trekken van Tado. Hij was nog een kind toen ik hem voor het laatst zag.

We kussen elkaar.

'Wat een verrassing je te zien, we wisten niet dat jij hier werkte.'

Ik nodig hem uit op een stoel naast mijn bed te gaan zitten. Mama slaapt.

Hij kan het nog steeds niet bevatten, zegt hij. Het is allemaal zo onwerkelijk. Hij trok erg veel met zijn vader op.

In de vroege ochtend was er aangebeld bij zijn kamer in Amsterdam, hij lag nog te slapen. Zijn broer en de broer van Johanna stonden op de stoep. Die hebben het hem verteld en hem meegenomen naar Utrecht, waar hij al die tijd is gebleven. Eerst had hij het niet willen geloven.

'Heb je zin in een glas rode wijn?' Ik wijs op de fles die ik van Olivier heb gekregen.

Ben maakt de fles open.

'Tado zei dat jullie na de dood van Hanneke vaak samen bij de open haard rode wijn dronken.'

'Ja, dat doen we nu ook. Dat zijn goede momenten.' Hij logeert nog steeds bij Johanna. Onlangs is hij bij de boom geweest. Zo gek om te weten dat het leven van zijn vader op die plek ophield. Er lagen nog veel scherven en splinters van de carrosserie. Hij had de auto gezien bij de sloop, daar was niet veel van over. De leeggelopen airbags hingen op de stoelen.

Hij bedankt voor een tweede glas wijn. Om vijf uur gaat de open haard aan thuis, maar hij zal ons nog eens opzoeken.

Mama heeft een lepel kippenragout in haar hals gegooid. Moet Onno, die belde dat hij in aantocht is, straks maar opvegen met al zijn vaderlijke ervaring.

Onno schuift de bedden tegen elkaar. Hij was eerst in het AMC geweest en had op de kraamafdeling gevraagd waar hij zijn zusje met haar pasgeboren zoon kon feliciteren. Nooit van gehoord. Ze bleken in de VU te liggen. Je zou de kluts kwijtraken met al die ziekenhuizen.

'Wat zal hij dom gekeken hebben,' zegt mama.

Door het haloframe heen, langs de enorme bloem, waar de butler ook nog een mooi gevouwen tissue in gedaan heeft, kijk ik eerst naar beelden van de kleine Mathilde die met opengesperde oogjes nieuwsgierig om zich heen kijkt op de arm van haar Siciliaanse grootmoeder. Jantje had gezegd: 'Als iemand zusje pijn doet, sla ik hem.' Broer Pieter reageerde: 'Ik maak hem dood.'

En dan zien we Julius Jan, net op de wereld. Hij heeft een geel mutsje op, zuigt op zijn vingers liggend op de buik van moeder Mathilde.

Mama huilt. Ik ook. Net als papa, toen de conceptie van dit zesde kleinkind hem verkondigd werd.

Het leven dendert door.

Papa had lange tijd over zijn drie dochters gesproken als over 'de drie doodlopende steegjes'. Gelukkig heeft hij nog van het grootvaderschap kunnen genieten en gezien dat de familiesaga verderging.

Pieter heeft zijn eerste tekening gemaakt. Van Amboe, zoals mijn moeder door de kleinkinderen wordt genoemd. Jantje heeft ooit gezegd: 'Ik vind oma geen leuke naam, ik noem je Amboe' – een naam die hij waarschijnlijk ter plekke verzon. Zo heet ze nu voor iedereen.

Onlangs zei hij ernstig: 'Amboe, weet je wel dat ik je je naam heb gegeven?'

'Het huis van opa en Amboe moet nu een Amboehuis worden,' zegt mama. 'Potverdorie, nou heb ik de pillen in de afvalzak gegooid.'

Mama slaapt onder haar enorme bloem.

Ik lees in Openbaringen. *De hemel scheurde los en rolde zich op tot een boekrol.*

Ik denk aan mama's rollende muren en de wereld die in een boek veranderde.

Dan doe ik het licht uit en luister nog wat naar muziek.

De schaduw van Hermans krullen verschijnt weer op het plafond, de spot van de zaklantaarn op de penicilline van Grada. De plek naast haar is leeg.

Hij ziet mama's bloem, kijkt naar mij, vrolijk, vragend.

'Kindje geboren,' fluister ik.

Hij feliciteert me.

'Heb je lekker geslapen?' vraag ik hem.

'Als een blok.'

'Tot hoe laat?'

'Tot halfzeven.'

'Denk je dat jij een beetje kunt slapen?'

'Ik denk het wel.'

Om halfvier word ik wakker van geluiden naast me. Mama heeft zich bloot gewoeld en is wakker geworden van de kou. Ik bel en even later verschijnt Herman, die haar hartelijk feliciteert met het nieuwe kleinkind en haar weer toedekt en instopt.

'Zou je me een glaasje water kunnen geven?' vraag ik.

Als hij het neerzet, ziet hij Openbaringen. 'Hé, heb ik ook. Nog geen tijd gehad om te lezen.'

Hij pakt het boekje op, bladert.

'Dat laat ik maar niet aan mijn moeder lezen, anders gaat ze weer rare dingen zien.'

Hij moet erg lachen, gaat naar mama toe: 'Ze plaagt u, mevrouw Steenbeek.'

Om zes uur legt hij me nog even op mijn zij, na me in mijn korset geritst te hebben.

Weer andere bloemen bloeien en verwelken op mijn nachtkastje, dat mijn wereld is. Tomeloos stijgen paarse tulpen ten hemel.

Ik denk aan mijn kleine nieuwe neefje, zijn eerste nacht in onze wereld.

Stille cel, couveuse

De wervel is weer aan elkaar gegroeid, wel wat beschadigd, 'ingedrukt als een beschuit', zoals de co-assistent het plastisch formuleert, en pas na een halfjaar is het echt solide, maar langzaam kan er begonnen worden met mobiliseren. Als ik kan lopen mag ik hier weg, maar ik moet dan nog wel vier maanden een gipskorset dragen.

Mijn vriendin Mieke heeft me uitgenodigd bij haar te komen revalideren, een verpleeghuis leek haar niks. De thuiszorg zal elke dag langskomen om me uit bed te halen, onder de douche te doen en aan te kleden.

Maar zover zijn we nog niet, voorlopig gaat mijn bed af en toe twee klikken omhoog waardoor ik in een hoek van dertig graden lig. Dat geeft meteen al een heel andere kijk op de wereld, maar na een tijdje voel ik het wel in mijn rug. Je lijkt een hele pief zo plat in bed.

'Ik dacht: als ik mag lopen wandel ik zo weg,' zeg ik tegen de zuster, 'maar dat is toch wat te optimistisch.'

'Dan begint de ellende pas.'

Er liggen twee nieuwe mannen tegenover ons, na een kort verblijf van een jonge vrouw die om het minste of geringste vreselijk begon te huilen. De aanblik van het spuitje voor de tromboseprik veroorzaakte grote angstogen en gekrijs. 'Kunt u wachten tot mijn vriend er is?!' 'Je voelt er niks van,' zei ik, maar dat stelde haar niet gerust. Met de armen om haar geliefde geklemd ontving ze het prikje onder het slaken van een ijselijke kreet. Ze wilde niet eten, alleen maar toffees en zuurtjes uit een grote puntzak. Haar schouderbanden moesten worden aangetrokken en nadat dat was gebeurd, is ze gelukkig snel opgehoepeld naar haar drie kinderen van een echtgenoot die haar al snel verlaten had.

Op haar plek ligt Rob, een oude bekende hier, die al meerdere malen geopereerd is aan zijn heup die was weggevreten door een tumor. De kwaal lijkt bezworen en nu wacht hij op een nieuwe heup. Met zijn rolstoel gaat hij op en neer naar de rookkamer. Herman wilde hem nooit brengen, vertelt hij, wilde hem eigenlijk zelfs niet verplegen als hij doorging met roken. Hij heeft een café dat de laatste jaren door zijn energieke vrouw Gerda wordt gedreven en drukker is dan ooit.

Naast hem ligt Leonard, een beschaafde student die toen hij zaterdagnacht geld uit de muur trok ineens een mes tussen zijn ribben had. Hij voelde niet veel maar zijn overhemd werd langzaam steeds roder. De dader was inmiddels verdwenen.

Zijn ouders weten niet dat hij hier ligt en dat wilde hij zo houden want ze zouden zich maar zorgen maken.

Ati, de fysiotherapeute, zet me telkens een stukje rechter overeind. Op een dag laat ze me even op de rand van mijn bed met mijn benen bungelen, waardoor de zaal in een carrousel verandert.

Duizeligheid hoort erbij, zegt Ati, heel geleidelijk moet mijn systeem weer wennen aan de verticale houding.

Ik zie hoe de wereld om me heen tolde in de tuin in Amersfoort, nadat mijn kleine neefjes me in het stoeltje van de nieuwe schommel hadden gedrukt en me uitgelaten duwden. De zonnestralen wrongen zich door het dichte gebladerte, die middag in de tuin dat we met ons allen mijn vaders verjaardag vierden. Hij had een grote tuintafel cadeau gekregen en heel veel stoelen. De kinderen schommelden of vingen kikkers in de vijver, en de groten zaten die tafel in te wijden met overdadig voedsel, geanimeerde kout en wijn zo rood als hartenbloed.

Dit is volmaakt, dacht ik, een scène uit een Italiaanse film die altijd zou moeten duren. Het stemde me blij en weemoedig tegelijk, want ik zag ook hoe zwak mijn vader was.

Nu staat die schommel daar, stil en verlaten. Misschien dat er af en toe een eekhoorntje op zit.

'Nee, ik had niet gedronken,' zegt Leonard, die verhit ligt te telefoneren. 'Ja, nou ja, een paar glaasjes wijn bij het eten. Nee, je hoeft niet te komen, het valt erg mee, over een paar dagen mag ik waarschijnlijk weer weg. Nee, echt niet.'

Als hij heeft neergelegd vertelt Leonard dat hij zijn moeder aan de lijn had. Ze is er toch achter gekomen.

'Ja, moeders,' zegt mama.

Nu verbaas ik me erover en neem ik het mezelf kwalijk dat ik vaak niet heb willen zien hoe zwak mijn vader was. Toen hij een keer op ons zonbevlekte terras zei dat hij het zo jammer vond dat hij zijn kleinkinderen niet zou zien opgroeien, reageerde ik fel: 'Maar waarom niet, je kunt voorlopig toch nog tien of vijftien jaar voort?' Toen een internist die een avond inviel zei: 'Ach, dring hem die sondevoeding toch niet op, laat hem gaan', was ik diep verontwaardigd. En ook toen zielenherders begonnen te praten over loslaten. Wat loslaten? Wat laten gaan? Wat een kille onverschilligheid. Toch zagen zij het waarschijnlijk beter dan wij.

Maar de behandelend geneesheren gaven ons hoop.

Ze hadden waarschijnlijk hoop omdat mijn vader door zo veel liefde en zorg werd omringd. Een assistente zei eens: 'Zonder jullie inzet was hij al lang weggegleden.'

Liefde kan doen leven.

Zonder dat het me van tevoren is aangekondigd word ik afgevoerd naar de gipskamer voor een nieuw korset, een loopkorset. Ik vraag me af hoe ze dat gaan doen.

In de hal bij de gipskamer lig ik te wachten en kijk hoe sneeuw zich vlijt op het glazen dak hoog boven me.

Paul duwt me naar binnen.

'Daar hebben we Rosita weer,' roept Lodi, die een kniekoker aan het bijwerken is. 'Jij gaat dus weer aan de wandel.'

'Ik hoop het.'

'Kun je staan?'

'Nog niet geprobeerd.'

'Hoe lang niet?'

'Twee maanden.'

'Wat doe je dan hier? Wij kunnen pas wat met je als je twintig minuten kunt staan. Ga maar weer weg.' Hij wuift achteloos met zijn hand. 'Daar heb je nog wel een weekje voor nodig.'

Hij pakt de telefoon en belt: 'Kunnen jullie Rosita op komen halen, daar kunnen we niks mee, ze moet eerst leren staan.'

Mama begint lichte doorligverschijnselen te vertonen en krijgt daarom een ander bed, een heel bijzonder bed dat voortdurend in beweging is doordat er lucht doorheen wordt geblazen.

Er komt een invasie binnen van zes verpleegkundigen. Sommigen klimmen op het toverbed, waardoor ik uitzicht krijg op een paar in witte broeken gehulde achterwerken, anderen staan ernaast en zo tillen ze haar van het ene bed op het andere.

Telefoon bij Rob. De tap doet het niet.

'Ik zal je Gerda even geven, die heeft er meer verstand van.'

Zijn vrouw neemt de hoorn over.

Een zuster is intussen druk bezig een nieuwe fles penicilline te bevestigen aan het infuus van Leonard.

'Het kraantje moet naar beneden staan,' zegt Gerda. 'Even teruglopen, emmer pakken en eronder zetten. Er komt eerst water uit. Ik blijf bij je, nee, ik laat je niet alleen. Ja, als die het niet weet, dat drankorgel. Welke slangen lopen naar de fusten? Bij de waterkoeling of bij de meterkast. Is het kraantje op het fust ook naar beneden? O, dan zit het fust niet aangesloten.'

Rob rolt weer naar de rookkamer; het is daar niet altijd een pretje, vertelt hij. Soms zitten er wel dertig mensen en het gaat altijd over hun kwalen en ellende. Als de een klaar is begint de volgende. Prins Bernhard komt er ook wel eens roken en een pilsje drinken. 'In zijn hawaïhemd, altijd begeleid door een bewaker. Hij mag trouwens ook roken en drinken op zijn kamer in de medium care.'

Wat lijkt die kamer alweer ver weg.

Achter de ramen blijft de sneeuw gestaag vallen. Ook 's avonds zie ik de witte vlokken neerdalen uit de zwarte lucht.

Mama heeft haar walkman – voorlopig een ietwat misplaatste naam – op haar buik en luistert naar Fischer Dieskau die de *Winterreise* zingt.

Af en toe klinkt het ruisen van de wind die haar vlees beschermt tegen open plekken.

De wereld is wit en wordt steeds witter. Straks heeft hij weer alle kleuren. O, stille cel, couveuse, baarmoeder, nirvana, niets, witte sneeuw die neerdaalt op de witte aarde, witte mensen die voor ons zorgen, ons tussen zachte witte lakens leggen.

Ik wil hier niet weg.

Als mama de koptelefoon afdoet vertelt ze dat ze een winterse wandeling door haar geboortedorp heeft gemaakt.

Ik kijk haar even achterdochtig aan. Is het weer zover?

'Ik liep daar en kwam allerlei bekenden tegen. Marietje, die na school altijd eerst naar huis moest om sokken te breien, schaatste op de vliet achter de pastorie.' Annie, de dochter van Piet Perensap, een rijke tuinder die zo genoemd werd omdat hij zijn personeel geen jus maar perensap over de aardappelen gaf, liep met een stoof waar een vuurtje in brandde naar de kerk. De sneeuw lag hoog opgewaaid tussen de steunberen. 's Ochtends vroeg had mama in de moestuin spruitjes afgebroken van de bevroren stronken en die verzameld in een vergiet. Daar was de hond van de kolenboer opgedoken met sneeuw in zijn vacht en een geruite strik om zijn nek. Als meisje had mijn moeder strikken in haar vlechten en als ze er een verloor knipte haar moeder de andere doormidden en dat herhaalde zich zolang het kon. Eerst in de breedte en dan in de lengte. Het was oorlog. 'De hond van de kolenboer liep nog jaren met een strik van mij.'

Muziek is toch wel de grote troost, zegt ze. De muziek had deze ontmoetingen te voorschijn getoverd.

Aan mijn voeteneind staat een rolstoel te wachten op mijn uitstapjes. Iedereen feliciteert me dat ik hier straks weg mag, maar mijn gevoelens zijn gemengd. Natuurlijk ben ik blij dat mijn rug geneest, dat ik straks weer lopen en dansen kan. Maar het beangstigt me ook weg te moeten uit deze wereld vol zorg en koestering, dat ik zelf weer initiatieven zal moeten nemen, keuzes maken, structuren aanbrengen, me verdedigen tegen de chaos en de verdoving. Hier ben je beschermd terwijl je toch op het scherp van de snede leeft en ik vind het moeilijk mijn moeder te verlaten, had dit pad graag tot het eind toe met haar afgelegd.

Kleine blonde Tekla is ons nieuwe engeltje in de nacht. Opgetogen fluistert ze dat er een grote kans bestaat dat ze op Oncologie wordt toegelaten. Daar kan ze echt iets betekenen, er zijn veel suïcidale mensen. Hier af en toe ook wel, vooral de dwarslaesies. Emily vond Oncologie juist een beproeving, mensen die ziek komen en ziek weggaan of sterven. Hier sterven ook wel mensen, dat moet af en toe ook kunnen, maar de meeste patiënten op Traumatologie zie je in korte tijd opknappen.

De gordijnen gaan niet dicht, de sneeuw blijft vallen.
'Geen hemel meer, geen
aarde meer, maar nog altijd
vallen de vlokken –'
Mama leest haiku's voor.

Dit waren twee tijdloze maanden, maanden waarin de tijd veranderde. En we waren al in een andere tijd beland door papa's dood.

We taalden niet naar de krant, niet naar de televisie, niet naar het wereldgebeuren. Het gebeurde hier, in deze zaal.

Reinier Braams is blij met mijn vorderingen en ook zeer tevreden over mama's herstel. Die canule kan wel uit haar hals, vindt hij en hij voegt meteen de daad bij het woord.

Broeder Maarten, die ernaast staat, lacht om mijn verbouwereerde gezicht. Hij plakt de opening af, die volgens Reinier snel dicht zal groeien.

Ik zet mijn eerste stappen tussen Ati en een assistente. Mijn voeten prikken en mijn hoofd weegt zwaar op mijn lijf dat bijna een skelet geworden is.

Na zeven weken zie ik eindelijk de badkamer achter de deur waardoor ik al mijn kamergenoten zag verdwijnen. In de rolstoel duwen ze me erheen en daar word ik eerst op een stoel en later staand gewassen.

Erg prettig om het wc-hoofdstuk weer in eigen beheer te hebben.

Vreemd dat ik eigenlijk helemaal niet blij ben dat ik weg mag. Ik moet denken aan wat een vriend mij eens vertelde: Een paar jaar geleden had hij hier in het UMC een afspraak met zijn arts die hem behandeld had voor kanker. Een van de opties was dat hij nog een jaar of vijf te leven zou hebben. Hij was geheel en al voorbereid op deze klap. Toen de arts daarentegen zei: 'U bent schoon', was hij op een bepaalde manier teleurgesteld want het was of hij ineens van een diep existentieel niveau aan de oppervlakte kwam, in de banale dagelijksheid. Verstoten uit een wereld waar alles dieper, dramatischer, werkelijker is.

Mama herkent dat niet, zegt ze.

Ook spullen benauwen me. Dat ik straks weer dingen moet hebben, bij Mieke al, dat beklemt me, ergert me. Weinig bezit is fijn, overzichtelijk, schept ruimte, ook in het gemoed. Dat is de kracht en de bekoring van het kloosterleven.

Toen ik uit de badkamer kwam als een robot in mijn harnas stapje voor stapje achter mijn rolstoel, zei ik: 'Meteen weer naar huis.' Het ontglipte me, ik bedoelde mijn bed.

Eindelijk zou ik zelf weer iets oprapen van de vloer, maar ik zakte door mijn knieën en kon niet meer overeind komen. Mama belde.

Ik mag de gang op achter mijn rolstoel maar ik vind het bijna eng om de kamer te verlaten.

Voor het laatst ga ik met het bed naar de gipskamer. Ik kijk naar het glazen dak boven me, waarachter de zon de witte deken van sneeuw doet smelten. In een couveuse lig ik, veilig en warm en straks word ik eruit gegooid.

Achter het glas bevindt zich niet meer die verloren voorbije wereld, maar een toekomst met stranden, badpakken, terrassen, een nieuwe liefde misschien.

Vlak onder het dak lijkt de in het midden omhooglopende trap een soort erepodium voor sporters. Ik stel me voor hoe zwemmers, stoere sporthelden met hun armen omhoog, het applaus in ontvangst nemen. Dan maken ze een sprong, eerst omhoog en dan duiken ze met de kop naar beneden. Het bloed spat, de beenderen kraken, mensen in witte jassen snellen toe. Beweging van bedden, pompen, spuiten, slangen.

De jongens van de gipskamer zijn weer zeer vlot. 'Wie? Rosita? Breng maar weer weg.' Maar ik mag binnenkomen.

Ze maken twee metalen palen vast in de grond waar ik me aan vast moet houden.

'Welke maat?'

Small, denken ze.

'Maar weer gauw spaghetti gaan eten in Italië.'

Ze trekken me het truitje aan dat zo strak zit dat het mijn borsten platdrukt.

'Ik wil hier graag wel een beetje ruimte,' zeg ik, wijzend op mijn boezem.

'Bemoei je er niet mee,' zegt Lodi terwijl hij me een tik op mijn hand geeft en die weer op de metalen paal legt. 'Niet bewegen.'

Het vloeibare gips wordt in het truitje gegoten en moet hard worden op mijn lijf.

Lodi geeft me telkens een tik of spreekt me streng toe wanneer ik mijn hand loslaat en me met het korset bemoei.

Hij strijkt over mijn buik en rug om het helemaal aan te laten sluiten.

'Deed ik ook als mijn vrouw aan het bevallen was.'

'Die hals kan toch wel wat lager en die armsgaten. Ik moet vier maanden met dat ding lopen.'

'Nou vooruit.' Als het bijna hard is knipt hij de hals en de armsgaten wat verder uit.

'Omdat je zo zeurt.'

'Ik lijk wel een vent,' zeg ik op mijn bijna platte borstkas tikkend.

Aan de zijkanten van mijn truitje, dat nu in een kuras veranderd is, zitten ritsen die ik zelf niet vast kan maken. Ze zetten er ook nog riemen op.

Als ik voor het laatst word teruggereden naar mijn zaal, voel ik dat ik me al losmaak, dat ik er niet meer helemaal bij hoor, dat ik afscheid neem van de toekomstloosheid die een soort eeuwigheid leek.

's Avonds kijk ik omhoog, in de televisie. Mijn laatste nachten in de tuinkamer.

Ik hoop dat het bij Mieke weer een tuinkamer wordt.

Deze tuinkamer is verplaatsbaar, deze inkeer, met muziek, boeken, stilte, concentratie.

Gek dat mama hier nog blijft. Ik zal haar zo vaak mogelijk op komen zoeken en als zij over een poosje ook weg mag ga ik mee om haar op te halen.

We spreken af dat we niet huilen.

'Nou mam, een ervaring rijker, zullen we maar zeggen.'

De tuinkamer

Voor het eerst zie ik onze wereld van de buitenkant, een kolossaal wit gebouw met heel veel ramen en achter één daarvan ons leven.

Mathilde en Robert halen me eruit, uit de onderwereld, de bovenwereld, de totaal andere wereld, en nemen me mee naar de wereld van de gewone mensen, de grote wereld die ik niet meer ken, het leven dat ik ben verleerd.

En dat ik nog niet wil en niet kan.

We rijden door Amsterdam langs de huizen, de grachten, de cafés, de auto's, de mensen die fietsen, boodschappen doen, naar hun werk gaan, naar afspraakjes. Ik wil het nog niet, ik wil stilte en ik wil wegkruipen.

Mieke is lief. Ze heeft een mooie ruime kamer voor me met een groot nieuw bed en uitzicht op binnentuinen. Overal staan bloemen.

Hier in huis voel ik hoe zwak ik ben; van de ene kamer naar de andere lopen is al een hele onderneming.

'Wat ben je mager!' zegt Mieke. 'Je hebt helemaal geen kont meer.'

Ze trekt haar ijskast open, die vol staat met lekkere en gezonde spullen van de reformwinkel, wortelsap, duindoornyoghurt, sterappeltjes. Maar ze heeft ook wijn en koek ingeslagen en straks zal ze een stevig maal voor me bereiden.

Ik bel met mama en zie voor me hoe ze haar arm uitstrekt naar de telefoon op haar kastje.

Als we een glas wijn drinken lui op de bank wordt er aangebeld door de trombosedienst. Een elegante vrouw, een verpleegkundige, vult een formulier in, neemt bloed af en vertelt me dat er de komende maanden elke ochtend iemand bloed zal komen prikken op grond waarvan wordt bepaald hoeveel antitrombosetabletten ik moet slikken.

De thuiszorg zal morgenochtend om een uur of acht aanbellen bij Mieke. Die geeft dan sleutels waarmee ze daarna zelf binnen kunnen komen zodat Mieke nergens last van heeft.

Ik orden mijn schamele bagage, lig even op mijn nieuwe bed terwijl Mieke kookt.

Terug in de wereld. Aan de ene kant is het of ik niet weg ben geweest, zat ik hier gisteren te borrelen, te eten terwijl we spraken over leven, liefde, werk. Aan de andere kant voel ik dat er een nieuwe levensfase aangebroken is, zonder mijn vader, zonder mijn geliefde, met mijn moeder die weer in elkaar wordt gezet, en zelf met een zwaar aangetast lichaam.

Langer dan twintig minuten kan ik niet aan tafel zitten, mijn korset houdt me wel overeind maar die ingedrukte beschuit van een wervel veroorzaakt te veel pijn.

Na het eten, stemmig bij brandende kaarsen, strek ik me uit op de bank en drinken we een glas cognac.

Tamelijk vroeg kruip ik in bed en begin in *Oorlog en vrede*, eindelijk kan ik me de weelde permitteren dat boek te lezen, ongestoord, elke dag, zonder schuldgevoelens.

Als ik plat lig mag mijn korset uit maar dat betekent dat ik niet meer uit bed kan want het lukt me niet het zelf weer dicht te maken. Daarom houd ik het zo lang mogelijk aan zodat ik nog naar de wc kan en de laatste uren voor het slapen drink ik niet veel om te voorkomen dat ik 's nachts aandrang zou krijgen.

Als ik 's ochtends wakker word weet ik even niet waar ik ben.

En dan dringt het tot me door: in een stille tuinkamer in hartje Amsterdam. Nu is het in het UMC al een drukte van belang, met ontbijt, wasbeurten, doktersvisite.

Geklop.

Op de binnendeur.

Mieke en een struise vrouw van even in de veertig met een lief, door donkere krullen omlijst gezicht. Maryan.

Ze heeft een map bij zich waarin ze mijn verhaal neerschrijft. Er zit al een formulier in waarop staat uitgelegd wat ik wel en niet mag.

Boomstamdraai, nog steeds.

Ik wentel me op mijn zij, Maryan duwt de achterschelp tegen mijn rug, dan draai ik terug zodat ze de bovenschelp over mijn borst kan leggen en die twee helften ritst ze vervolgens aan elkaar met mij ertussen. Dan helpt ze me overeind en schuifel ik naar de ruime badkamer, waar ik weer uit mijn schelpen gelicht word en op een door de thuiszorg afgeleverde douchestoel plaatsneem. Terwijl we geanimeerd praten over haar vak, de menselijke broosheid, boeken, sopt ze mijn rug en benen. De rest kan ik zelf.

Er wordt weer geklopt. Een jongen met een lange paardenstaart, van de trombosedienst, tapt even wat bloed af, stopt het buisje in een koffertje bij andere met bloed gevulde buisjes en zegt: 'Tot morgen.'

Ook Maryan zal er morgen weer zijn maar er zullen ook anderen komen, of ik bezwaar heb tegen mannen.

'Nee hoor, ben ik aan gewend.'

Elke ochtend om een uur of acht wordt er op de deur geklopt.

Ik roep ja en vervolgens hoor ik de sleutel draaien in het slot en staat er een bekende of onbekende die me onder de douche doet, aankleedt en weer verdwijnt. Aardige mensen leer ik kennen die 's ochtends door de stad fietsen en huizen binnen gaan, paleizen of stulpjes, grachtenpanden of sjofele opkamertjes, om daar mensen te wassen, aan te kleden, wonden te verzorgen, injecties te geven.

Op een ochtend was het al tegen tienen en ik had nog geen thuis-zorg gezien. Ik belde naar de centrale. Hij was op weg, zeiden ze, ja al lang geleden vertrokken.

Er werd gebeld bij Mieke, die al klaarstond om een reprimande uit te delen maar die inslikte toen ze oog in oog stond met een mooie, vriendelijk kijkende, gitzwarte man.

Hij had de verkeerde sleutel meegekregen.

Zijn zwarte handen zepen mijn witte voeten in met Dolce Vita.

Nog nooit ben ik zo zorgzaam en voorzichtig gewassen en aan-gekleed.

'Nee, kijk uit, niet bukken. Je arm niet te hoog.'

Hij had op de intensive care gewerkt in het AMC, maar dit vond hij afwisselender werk; en minder sterfgevallen.

Met mijn korset heb ik veel succes. Ik had mijn zwager Robert, een kunstschilder die de oude technieken beheerst, gevraagd het te versieren. Hij zei: het is een harnas en dat moet je accentueren door het goud te spuiten. Geen tierlantijnen, landschapjes of franje, ge-woon een kuras.

Op een avond haalt hij me op door donker Amsterdam samen met Mathilde en hun zoontjes. Mattheus zegt: 'Ik ga met Sita ach-terin en dan gaan we niet tegen een boom rijden, beloofd is be-loofd.'

Even later lig ik plat op de bank met de kleine Julius in mijn ar-men terwijl Robert op het terras het werkstuk van de gipsmeesters tot een waar middeleeuws harnas omtovert. Als het gedroogd is ritst mijn zusje, de weelderige moeder, me erin.

Wanneer ik naar het kleine handje van mijn nieuwe neefje kijk op het glanzende goud, steekt door me heen dat onze vader dat handje nooit zal zien. Ook Mathilde moet even huilen.

We zijn zo afgeleid door het ongeluk, door Tado's dood, dat nu in de vertrouwde familieomgeving het gemis van onze vader weer in alle scherpte voelbaar is.

Mieke leidt haar leven, komt met verslag uit de grote wereld, ik blijf binnen, lees in *Oorlog en vrede* en kijk naar de winter achter de ramen, naar de kale takken tegen de steeds van kleur veranderende lucht. Ik wil nog geen mensen zien, behalve de zeer nabijen. Ik wil stilte, besef hoe druk het ziekenhuisleven was. Ik voel geen enkele aandrang om de straat op te gaan, integendeel. Mieke zegt dat ik eens een ommetje zou moeten maken, aan haar arm. Maar ik wil de deur niet uit.

Na een dag of tien klim ik de trap op naar haar terras.

Het is prettig om de winterlucht in te ademen en mijn huid te voelen tintelen. Ik kijk naar de knoppen aan de takken, verbaasd dat ze al zo aanwezig zijn, en naar de vele potten met kale stronken die straks weer uitbarsten in kleur en blad. Hoe zou het met het citroenboompje zijn op mijn Romeinse terras, dat ik kreeg van Mieke de afgelopen zomer? Zij bleef achter in mijn huisje terwijl ik naar Sicilië vertrok.

Twee dagen later begon de rampentijd.

Wat heb ik de zomer verfoeid, de voortdurend blauwe hemel en die rotzon en die ergerlijk in de vrolijkste kleuren bloeiende bloemen en bomen. Regende het maar uit grauwe gure luchten, was het maar kil tot in het merg.

Nu doet het me goed die gespannen krachtige knoppen te zien, zoals ik ook vrolijk word als ik aan al die kleine kindjes van mijn broer en zusjes denk.

Kleine Jan kuste zijn pasgeboren zusje voortdurend op de mond. Toen hij gemaand werd haar met rust te laten zei hij: 'Ik wil dat ze van me gaat dromen.' Mattheus had een toverstaf gekregen en probeerde zijn broertje weg te toveren, maar helaas.

Als een broeder van de thuiszorg me 's ochtends verzonken vindt in *Oorlog en vrede*, begint hij in het Russisch tegen me. Hij komt er regelmatig en heeft veel Russische vrienden. Wat een schitterende taal, zeg ik. Terwijl hij mijn voeten wast citeert hij iets van Poesjkin over trippelende voetjes. Even voel ik me geen invalide maar een prinses als hij me mijn kousen aantrekt, mijn schoenen vastmaakt. Voor hij vertrekt laat hij me een bloemlezing zien van Friese gedichten over de dood. Mijn vader was ook een Fries die Russisch sprak, vertel ik.

Na een paar weken ga ik voor het eerst en onder dekking van de duisternis de straat op, een doek om mijn hoofd zodat men mij niet herkent, en wandel naar de zonnebank. Herman, dokter Herman, had gezegd dat dat goed is voor mijn botten.

Er fietst een vrouw voorbij, snel, in een wapperende rok. Een visioen van vitaliteit en vrijheid, voor mijn gevoel voorgoed onbereikbaar.

De wereld voelt bedreigend groot aan, elk keitje als een klip.

Iedere dag bel ik met mama, die nu de kamer deelt met drie jonge mannen. Leonard, de jongen met de messteek, is er nog steeds en wordt nu voortdurend bezocht door zijn moeder. Naast hem ligt een jongeman die een nieuw oor heeft gekregen dat gemaakt is door een chirurg die niets anders doet dan oren creëren en aannaaien. Hij kijkt regelmatig in de spiegel, het ziet er nu nog wat bloederig uit maar hij heeft het sterke vermoeden dat het wel wat geworden is. In mijn bed ligt Alex, die erg onderhoudend kan vertellen over zijn werk als schoonmaker op rampplekken. Hij was ook bij de ingestorte Twin Towers. Ze hebben vijf centimeter uit zijn ene been gehaald omdat het zoveel langer was dan het andere.

Het blijft daar een avontuurlijk bestaan. Zij is in het ziekenhuis midden in het leven, ik in hartje Amsterdam in een ivoren toren.

Soms betrap ik me op heimwee naar die waanzin en tijdloosheid. Ik vraag altijd welke verpleegkundigen er die dag op de zaal staan, welke artsen er langs zijn geweest.

Als ze genoeg is aangesterkt zal ze geopereerd worden aan haar bekken, waar haar heup doorheen geschoten is bij de klap. Daardoor lag ze toen in zo'n verontrustende houding in de auto.

Ook al wordt het me door velen afgeraden, ik wil toch proberen mijn reeks lezingen in de boekenweek te doen. Het thema is te uitnodigend: de dood.

Ik word beschermd door mijn kuras en de medewerkers van de uitgeverij zijn zeer behulpzaam, ze komen me met een auto bij Mieke ophalen, vervoeren me naar de vreemdste uithoeken van het land en brengen me weer naar huis.

Ik vertel aan het publiek dat ik me goed op het thema heb voorbereid en als ik uitleg hoe, gaat er een heftige reactie door de zaal.

Of ik nu anders in het leven sta, wordt me gevraagd.

Nee, het heeft mijn wereldbeeld niet gewijzigd, ik ben me altijd bewust geweest van de broosheid van gezondheid en geluk. Omgang met de dood leert juist leven.

Als ik mezelf mag wassen en aankleden verhuis ik per taxi naar mijn eigen huis. Mieke begeleidt me, draagt mijn spullen omhoog en helpt me sfeer te scheppen door bloemen in vazen te zetten en een schaal te vullen met fruit. 'Als het niet gaat, kun je altijd terugkomen,' zegt de schat.

Het korset moet ik nog een paar maanden dragen maar ik zou niet anders willen want ik voel me erin als een slak in haar huisje.

De trappen putten me wel uit en als ik voor het eerst zelf boodschappen doe blijken de tassen te zwaar zodat ik ze midden op straat huilend neerzet en denk: dit komt nooit meer goed. Lag ik maar in het ziekenhuis, waar alles wat ik nodig had voor mijn neus werd gezet.

Nu besef ik weer hoeveel je moet regelen en hoeveel keuzes je als mens voortdurend maken moet en hoe fijn het is dat niet te hoeven. Ook zelf koken is vermoeiend en pijnlijk.

Ik probeer mijn Siciliaanse boek weer op te pakken maar ik kan niet lang op een stoel zitten. Ik voel mezelf al een held als ik wat klusjes doe, wat opruim, administreer, een enkel briefje schrijf, een artikel.

Omdraaien in bed kost me nog moeite, daar zou ik een geliefde voor moeten hebben. Ik begin weer te verlangen naar strelingen van zon, zee, zijde en handen.

Schroot, kippengaas en cement

Mama is geopereerd. Mathilde en ik zoeken haar op.

Ik zit naast mijn zusje in de zwarte Saab. Ze rijdt rustig en ik ken geen enkele angst, voel me veilig als bij een moeder.

We rijden over winterse wegen, waarover zo veel vrienden en familie de afgelopen maanden naar ons toe gekomen zijn.

De laatste keer dat ik deze kant op reed was met mijn moeder kort na mijn vaders dood.

We gingen een schilderij van Pieter Saenredam bekijken.

Een literair tijdschrift had een aantal auteurs gevraagd iets te schrijven over een 'verleidelijk' schilderij uit de collectie van het Utrechts Centraal Museum. Deze 'Antoniuskapel' verleidde me met de stilte die het ademt. Het is of je de zachte stappen hoort van de wegwandelende man over de oude zerken, in die hemelhoge ruimte waar alles verleidt tot inkeer en tot omgang met iets wat groter is dan jezelf. Ik had de catalogus nog meegenomen naar mijn vader in het ziekenhuis. Ook hij vond het een prachtig schilderij.

Mijn moeder en ik zagen het in het echt in het depot van het museum. Op een papiertje dat aan het paneel bungelde lazen we dat die kapel deel uitmaakt van de Janskerk, waar mijn ouders hun eerste kerkdienst samen hadden bijgewoond. We besloten ernaartoe te gaan. Arm in arm liepen we door het hart van Utrecht, het decor van haar eerste verliefde jaren met mijn vader.

Samen hebben we een tijd in die grote stille kerk gezeten waar Saenredam zijn schetsen maakte, waar mijn ouders samen zaten toen ze elkaar net kenden. We keken hoe het licht dat door de hoge vensters naar binnen viel de grafstenen die Saenredam al schilderde deed glanzen, en even ervoeren we diezelfde troostende vrede.

Toen liepen we, net als de man op het schilderij, weer naar de uitgang, de wereld in.

Een week later waren we weer in Utrecht en konden niet meer lopen.

Mathilde kan de weg dromen, parkeert in de kolossale garage, zet mij in de eerste rolstoel die we tegenkomen, want het is een enorm eind, en duwt me door de gangen.

In de verte ontwaar ik Lodi, de gipsmeester. Als hij mij ziet in mijn gouden korset, houdt hij zijn hand voor zijn ogen en kijkt opzij alsof hij het niet wil zien.

Dan komt hij naar me toe met uitgestrekte hand. Hoe ik dat heb gedaan, kan hij ook invoeren bij nieuwe klantjes, maar het moet ook weer niet al te mooi worden. 'Ze zouden het er nog om kunnen doen.'

We komen langs het stiltecentrum, zo vertrouwd.

Tegen het hoofd van de intensive en de medium care, bij wie de regie lag, professor Leenen, had mijn moeder gezegd: 'Ik ben nu zo langzamerhand een antieke vaas geworden, zo vaak in elkaar gezet en gelijmd. Ik krijg toch wel een goede restaurateur voor de finishing touch?'

'We zetten u niet bij de vuilnis,' had hij geantwoord. 'U krijgt onze coryfee. Dokter Öner.'

Mama kijkt vrolijk en fris als ze ons binnen ziet komen.

Gek om iemand anders te zien liggen in mijn bed.

Het was heel gezellig geweest op de operatiekamer. De mensen droegen de vrolijkste kleren, groen, paars, rood. Leuke petjes. Ze had veel pret gemaakt met de anesthesist, die gezegd had tegen zijn studenten: 'Let maar eens op: dit is een ouwe taaie', en de chirurg had voortdurend van achter het gordijn geroepen: 'Het gaat geweldig, het gaat hartstikke goed!'

Na de operatie had mama aan dokter Öner gevraagd wat hij nou eigenlijk precies had gedaan.

'Wat schroot, een beetje cement, wat kippengaas, en dat allemaal aan elkaar geknutseld. Ik ben zeer tevreden.'

'Je hebt dus in geen tijden zo'n leuk uitje gehad.'

Dat kon je eigenlijk wel zeggen.

Langzaam maar zeker wordt ze weer in elkaar gezet. Ze hopen dat dit de laatste operatie is.

Als de wonden dicht zijn kan ze verhuizen naar het revalidatiecentrum in Amsterdam.

Maar dan zegt ze dat ze zich niet lekker voelt.

Ze heeft het benauwd.

Inderdaad is ze erg wit.

We bellen.

Er verschijnt een zuster.

Ze voelt haar pols, kijkt geschrokken.

Neemt de bloeddruk op.

Veel te laag.

Onmiddellijk kantelt ze het bed zodat mama met haar benen omhoog ligt. Mathilde en ik kijken elkaar aan. Een déjà vu.

Daar is Herman Hart. Precies op het goede moment!

Maar dan schiet door me heen dat hij in de deuropening had gestaan terwijl papa in onze armen stierf.

'Ze moet meteen een zak bloed hebben,' zegt hij.

Ik kijk naar de drain die beweegt door mama's wondbloed dat erdoorheen lekt. Zo zag ik ook papa's bloed de slangen bewegen.

Het is een grote drukte rond het bed.

Er wordt een hartfilmpje gemaakt.

Onwerkelijk.

Voor papa was de dood misschien een zegen, maar mama moet nog een mooi, lang en gelukkig levenshoofdstuk meemaken.

Geen enkel scenario is te erg om mogelijk te zijn, weet ik.

Godzijdank.

Het gaat beter.

Armen, benen, voeten, handen

Na vier maanden mag mama van Utrecht naar Amsterdam, naar het RCA, het revalidatiecentrum op de Overtoom.

We halen haar op met een busje van het ZVA. Zieken Vervoer Amsterdam.

Alle verpleegkundigen en artsen zwaaien ons uit.

De chauffeur duwt de rolstoel met mama door de zo vertrouwde gangen, ik loop ernaast.

De rolstoel wordt met kettingen vastgemaakt in het busje en ik ga op een uitklapbaar stoeltje naast haar zitten.

Het is een mooie dag.

Terug in de wereld, weer een stap verder.

'Een stuk dichter bij huis,' zeg ik blij.

Maar we rijden door een wereld zonder mijn vader, en zonder Tado, dat dringt nog meer door als je langs al die vertrouwde plekken komt.

We stoppen vlak bij de crèche van Mattheus.

'Het eerste liedje dat ik leerde van mijn vader,' zegt mama. '"Schuitje varen theetje drinken varen we naar de Overtoom." Dan maakte hij een boot met zijn knieën en ik zat erin. Aan het eind van het liedje sloeg de boot om.'

De kettingen worden losgemaakt, de stoel daalt met een liftje tot op de stoep en dan rolt de man mama door de draaideur naar binnen.

Bij een grote bar zitten mensen in rolstoelen een glas te drinken. Sommigen missen een arm, anderen een been, er zijn ook mensen die meerdere ledematen kwijt zijn. Toen Jantje, die op dat moment drie was, een bezoek bracht aan zijn opa in het dialysecentrum had hij na afloop kalm gezegd: 'Drie benen en vijf voeten eraf.' Veel nierpatiënten hebben suikerziekte. Papa had plezier in dat soort crue commentaren, zelf zei hij op droge toon tegen familie en vrienden: 'Er zit regelmatig een mede-dialysant dood naast me in de stoel.' Het was één keer voorgekomen dat iemand tijdens de dialyse overleden was.

Een glazen wand biedt uitzicht op een groot terras en daarachter het Vondelpark. We melden ons bij de receptie en worden vriendelijk doorgestuurd naar de derde verdieping.

Er rolt een man voorbij, die liggend op zijn buik zelf zijn brancardachtige bed voortbeweegt.

Allerlei verpleegkundigen komen zeer opgewekt kennismaken. In deze branche kun je je geen zuurpruimen permitteren.

Voor mama is er een plekje gereserveerd op een tweepersoonskamer, een bed aan een raam dat uitzicht biedt op het Vondelpark.

Ze deelt de kamer met een wat oudere knappe man die zijn twee onderbenen is kwijtgeraakt. De stompen zijn bijna genezen, dus nu moet hij met protheses leren omgaan.

Hij zit op zijn bed en heet zijn nieuwe kamergenote hartelijk welkom.

Zijn kunstbenen staan al klaar met nieuwe schoenen.

Van buiten klinkt het doffe ploffen van tennisballen.

Ze hebben in het dossier gelezen dat ik ook een rol heb gespeeld in het drama, waarvan het korset nog getuigt, en daarom word ik uitgenodigd deze eerste keer mee te eten.

Het is afgelopen met de maaltijden op bed, mama wordt elke dag in de eetzaal verwacht en moet aan tafel met haar lotgenoten.

Ik zit naast een zwarte man zonder benen en zonder vingers. Hij komt uit de Kongo en is goedgemutst.

Hij kijkt onder de deksel van een schaal.

'Mmmm, niet wat we in Afrika krijgen,' zegt hij quasi-teleurgesteld.

'Wat krijg je daar dan?'

'Krokodillenvlees.'

Hier moet hij het doen met kip.

Naast mama zit een vrouw zonder onderarmen en onderbenen, die wordt gevoerd. Tussen de happen door zit ze vrolijk te babbelen. Tegenover ons probeert een halfzijdig verlamde man met zijn linkerhand eten op zijn lepel te scheppen en die naar zijn mond te brengen. Als het mislukt, en dat is vaak het geval, roept hij 'kut'. Naast hem zit een vrouw met één tand en één been die in plat Amsterdams roept dat deze viezigheid niet is wat ze besteld heeft.

Het kost me moeite mama hier alleen achter te laten. We zeiden telkens: dit is een grote stap voorwaarts, een stap richting huis, maar deze entourage is deprimerender dan die van het ziekenhuis. Daar werd bijna in alle gevallen aan de opbouw gewerkt, hier moeten mensen meestal leren leven met hun beperkingen. In plaats van het zwaarste geval te zijn hoort mama ineens bij de geluksvogels. Ik ook. Ik schaam me bijna dat ik het er zo van afheb gebracht, dat ik mijn armen en benen nog heb, dat ik kan lopen.

Je schrikt voortdurend van de gruwelen die je ziet maar probeert dat niet te laten merken en gewoon te doen. Maar hoe gedraag je je als een vrijwel volledig verbrande man zijn elektrische bed naast je parkeert?

Elke dag ga ik naar haar toe, 's middags of 's avonds. Ook mijn zusjes en broer wippen regelmatig binnen. We vragen altijd naar de laatste aflevering van het *Nieuwsgierige Aagje, het Protestants-Christelijk Weekblad op G.G. (Gereformeerde Grondslag) ten behoeve van Gezondheid en*

Geestelijk Welzijn van Mevr. M. Steenbeek-Hugenholtz, dat Piet en Hyke verzorgen, met tekst en illustraties en dat zo'n twintig pagina's telt. Het staat vol met de wonderlijkste verhalen, sprookjes, anekdotes en ze moeten er een dagtaak aan hebben die te bedenken en te verzamelen.

's Ochtends en een gedeelte van de middag heeft onze moeder het druk met allerlei soorten therapie. Fysiotherapie, soms in het zwembad, ergotherapie, waar ze leert omgaan met haar rolstoel en hoe ze met een stok waar een knijper aan zit dingen van de grond of van boven uit de kast kan pakken, logopedie, omdat haar stem is aangetast door de tracheostoma.

Na een tijdje gaat ze ook naar badminton, waar meestal twee rolstoelers tegen één therapeut spelen in een grote zaal met een net in het midden.

Ik lig vaak op haar bed, omdat ik nog last heb van mijn rug, dan zit zij naast me in de rolstoel.

Soms gaan we naar beneden, naar de hal, waar we een kopje thee of koffie drinken of ook wel een glas wijn. Sommige bewoners drinken zich elke dag een roes. Bij hen in de buurt beweeg ik me met opzet wat langzamer.

Als het lekker weer is gaan we naar buiten.

Ik duw haar over het grote terras naar de tuin.

'Kijk, daar is een atelier. Misschien moet je gaan schilderen.' Maar als we dichterbij komen zien we dat de ruimte vol staat met armen, benen, voeten, handen.

In de ene afdeling zijn ze wit, in de andere hebben ze de kleur van mensenhuid.

De maaltijden vindt ze het zwaarst.

Die droeve rij rolstoelen. Het kabaal. Meestal staat de radio aan, waarvan het geluid zich mengt met de herrie van servies en bestek. De tafelgesprekken zijn zelden verheffend en gaan meestal over de kwaliteit van het voedsel.

Regelmatig eten we beneden in de bar een tosti. Haar trouwe vriendin Loes komt elke week met een mand vol lekkernijen.

Een natuurkundige die door een beroerte halfzijdig verlamd is geraakt en zich daardoor niet meer kan wijden aan zijn passie van het pianospelen, komt vaak uit de naburige kamer bij mijn moeder binnenrollen om een praatje te maken. 'Als je straks in je eentje thuis zit denk je nog maar eens aan mij: ik ben ook alleen.' Zijn kinderen brengen hem wel eens een bezoek. 'In het begin zijn ze een en al aandacht en voorkomendheid maar na een tijdje zit je erbij als een factotum en gaat het alleen maar over de baby's.'

Op een zonnige avond verschijnen Robert en Mathilde en de jongetjes met een tas vol kreeften, champagne, borden en kristal en in een mum hebben ze op de stenen tafel in de tuin een prachtig stilleven geschapen. Wij smullen, Mattheus speelt in de zandbak, komt af en toe een slokje cola light nemen, zijn favoriete drank, en het leven heeft even iets van een idylle.

Het weer wordt steeds aangenamer, mama's krachten nemen toe, steeds vaker maken we tochten met de rolstoel door het Vondelpark, kijken naar de bomen beladen met bloesem, de joggende mensen, luisteren naar de talrijke muzikanten, observeren een roerloze reiger bij de stille vijver en eten in het Melkhuisje.

Daar vieren we mijn verjaardag. Voor het eerst zijn we met ons allen bij elkaar, zonder papa.

Zíjn geboortedag herdenken we vijf dagen later in het huis van Mathilde en Robert, dat zeer rolstoelvriendelijk blijkt te zijn. Mama zegt dat ze het erg vindt dat ze er niet met papa over kan praten hoe ze hem mist. We missen hem met ons allen en daardoor is hij ook aanweziger.

We praten steeds vaker over de terugkeer naar Amersfoort. We zien ertegen op en kijken ernaar uit. Mama zit al in de loopgroep en komt aardig vooruit, eerst achter een ajowalker, dan achter een rollator. De gekste woorden raken vertrouwd.

Maar op een vroege ochtend word ik gebeld en schrik van mama's zwaarmoedige stem. Ze heeft vreselijke pijn in haar been en het is opgezwollen.

Sommigen zeggen dat het door overbelasting komt, daar klamp ik me ook meteen aan vast, maar zelf ziet ze het somberder in.

En helaas heeft ze gelijk.

De plaat in haar dijbeen die er die rampnacht meteen in was gezet, is gebroken. Ze moet naar het UMC om weer geopereerd te worden en is voor haar gevoel terug bij af.

Ze ligt weer op dezelfde afdeling, dezelfde verpleegkundigen en artsen zorgen voor haar. Het is gek te beseffen dat het daar altijd maar doorgaat, een onafgebroken reeks mensen die uit de kreukels worden gehaald en in elkaar gezet. Mama had vijftig hamerslagen geteld die nodig waren om een pin door haar driemaal gebroken dijbeen te timmeren. Tijdens de operatie had ze gevraagd of ze de hamer mocht zien. Het was maar een kleintje, van twee soorten metaal.

Ook deze nieuwe crisis wordt overwonnen, al zal de terugkeer naar Amersfoort een tijdje worden uitgesteld.

Recht in het hart

Als mama weer terug is aan de Overtoom en weer in de loopgroep zit, ga ik tien dagen naar Rome. Het is al bijna zomer en ik snak naar zon en zee.

Iedereen omhelst me, complimenteert me met mijn kuras.

Op straat roepen ze: '*Vale, gladiatrice!*' Of: '*Zij die gaan sterven groeten u.*' Ook wel: '*Ciao Angelica*', verwijzend naar de middeleeuwse heldin die als ridder gekleed meestreed tegen de Saracenen.

Wat houd ik van dit land en wat verheug ik me erop mama weer mee hiernaartoe te nemen.

Zodra ze kan wil ik met haar naar de warme bronnen van Ischia, waar de gewonde strijders voor de jaartelling al genezing zochten.

Nu is Ischia iets te ver en neem ik de trein naar Sperlonga, een plaatsje boven op een rots met aan de voet een kleine, stille baai die uitkijkt op de 'grot van keizer Tiberius', die hier zijn buitenverblijf had en hier rouwde om de dood van zijn broer.

Mijn kuras staat naast mijn strandbed te flonkeren in de zon en ik ga de zee in. Het is een genot me te laten dragen door het water.

Ik neem een hotelletje, lig lange dagen in de zon en in het water en langzaam voel ik mijn krachten terugkeren. Het begint weer prettig te worden een lichaam te hebben, niet louter een last.

In het vliegtuig terug draag ik mijn harnas.

Maar de volgende dag, in Amsterdam, durf ik voor het eerst zonder dat ding de straat op. Mijn spieren zijn sterker geworden maar het voelt nog heel naakt, onwennig en kwetsbaar.

's Avonds ga ik naar een feest in een café.

Ik zie veel bekenden die verrast zijn dat ik er weer zo gezond uitzie.

Om twaalf uur barst de muziek los. Ik zou willen dansen maar dat zal nog te veel gevraagd zijn. Ik ben moe en sta op het punt om te vertrekken.

En dan

Wissel ik een blik

Met een man

Die ik wel vaker sprak

Maar nu

Zien we elkaar voor het eerst echt.

En als vanzelf dansen we naar elkaar toe

En als vanzelf dansen we tot de deuren sluiten.

En kussen we op straat terwijl de zomer begint.

De eerste dag zonder harnas word ik geraakt recht in mijn hart.

Ook in het revalidatiecentrum bloeien liefdes op.

Een altijd humeurige vrouw die een been mist is de laatste tijd erg beminnelijk nu ze een eveneens eenbenige vrijer heeft. Ze zitten met hun rolstoelen dicht tegen elkaar aan, de handen verstrengeld.

De jonge vrouw die onderarmen en benen mist, vertelt met glinsterende ogen dat ze gaat trouwen, met die stoere bink die ze elke avond aan haar zijde heeft. Ze waren al samen toen een bacterie haar te pakken nam en haar vriend bleef vanzelfsprekend bij haar. Binnenkort gaan ze twee weken op reis. 'Hij draagt me overal naartoe,' zegt ze trots, 'het gaat ook al behoorlijk goed met de protheses', en ter illustratie steekt ze een van haar kunstarmen omhoog.

Mijn liefde is een echte liefde.

Mieke, geenszins geneigd tot zweverigheid, zegt dat mijn vader hem heeft gestuurd. Hij heeft dezelfde naam, dezelfde wortels en hij is lief voor me. *Duizendvoudig lief en zacht en vol van eerbied en zeer omzichtig*, zoals mijn vader Leopold vaak citeerde. *Zie mij hoe ik u heb verwacht.* Hij streelt het litteken op mijn arm en geneest de wonden die dieper verborgen liggen.

Vaak zie ik hem 's middags in het Vondelpark op doortocht naar mijn moeder.

Soms schaam ik me voor mijn geluksgevoelens. Maar mama is alleen maar blij voor me. Dat was ik ook voor hen, als ik met eigen kapotgeslagen dromen het gekoer en geminnekoos van mijn ouders bijwoonde.

Er staat een groot boeket lathyrus op mama's kastje, meegenomen door Mathilde. Mama moest huilen toen ze haar neus erin drukte.

De eerste keer dat ze mijn vader zag, in de tuin bij haar ouderlijk huis, zaten ze tussen hagen geurende lathyrus.

Twaalf juli.

Vorig jaar op diezelfde datum, precies vijftig jaar later, waren ze samen naar die plek gegaan, ze hadden om de oude pastorie heen gewandeld en waren toen met de auto verder gereden naar het Uddelermeer, een tocht die ze vroeger vaak maakten met de fiets. Mijn vader was al erg zwak, maar ze waren naar de oever van het meertje gelopen en hadden daar aan het eind van die warme middag in het gras gelegen en verwonderd naar de vogels gekeken die troepsgewijs van de ene naar de andere boom vlogen en dan weer naar het water. Behalve zij tweeën en die vogels was er niemand.

Toen had mijn vader gezegd, zijn arm om mijn moeder heen, zoals hij altijd meteen een arm om haar heen sloeg zodra ze naast hem ging zitten: 'Ons leven is een feest geweest.'

'Dat was het mooiste testament dat ik kon krijgen,' zei mama.

Ze laat me een citaat lezen van Bonhoeffer:

Je schöner und voller die Erinnerung, desto schwerer ist die Trennung. Aber die Dankbarkeit verwandelt die Qual der Erinnerung in eine stille Freude. Man trägt das vergangene Schöne nicht wie einen Stechel, sondern wie ein schönes und kostbares Geschenk in sich.

Naar huis

Mathilde brengt ons. Mama zit voorin. Ik achterin tussen de twee levenslustige jongetjes.

Catherine is al een weekend in Amersfoort geweest, met haar man Reinout en de kleine Jonathan, die opa zo miste en de open haard. Ze hadden stokken gezocht in het bos aan de overkant zoals hij altijd deed met opa en een vuur gemaakt in de tuin. Jonathan hoopte dat opa veel had opgeschreven.

Catherine heeft gezorgd dat het huis gezellig werd en heeft boodschappen voor ons gedaan.

We draaien de Prins Frederiklaan in en zijn allemaal stil.

Daar is het huis, zo vreemd vertrouwd.

Ik weet nog dat ik het voor het eerst zag op mijn twaalfde, dat romantische huis onder de hoge bomen met de glas-in-loodruiten en de vele trappetjes, en dat mijn vader meteen zei: 'Gekocht.' En dat ik terwijl de spullen naar binnen werden gedragen voor me zag hoe ze weer naar buiten gedragen zouden worden, eens.

Maar hier zijn we weer, voor een onverwachte toegift.

De auto stopt op het pad.

Ik maak de voordeur open, die mijn vader zo vaak voor me opendeed.

Zie zijn klompen, zijn jas aan de kapstok.

Dan ga ik terug naar mama, help haar samen met Mathilde uit

de auto en begeleid haar stap voor stap het trapje op.

Ook zij ziet al die dierbare sporen, stempels, tekens.

Als ik achter mama die met de rollator de kamer binnen gaat het grote portret zie dat Catherine van onze vader maakte, springen de tranen in mijn ogen, zo heeft ze zijn wezen geraakt, zijn houding, zijn blik.

Op het terras staat de tuintafel die hij op zijn laatste verjaardag kreeg en waaraan we gelukkig nog een paar feestmalen met elkaar hebben genoten. Achter in de tuin hangen de roerloze schommels.

Mathilde blijft logeren met de jongetjes. Mattheus zorgt voor deining, van de schommels, en ook in het gemoed als hij vraagt waar opa is. Hij rent met een theedoek van de een naar de ander om tranen te drogen.

De volgende avond moeten ze terug naar Amsterdam en zijn mama en ik weer samen in dit huis zoals in de tijd dat papa in het ziekenhuis lag, zoals die ene maand na zijn dood.

Naast het grote bed, dat niet voor mijn vader maar voor twee andere revalidanten bestemd bleek te zijn, liggen de boeken die we lazen de avond voor het ongeluk. Op mijn nachtkastje de catalogus over Saenredam, naast dat van mama een boek over relieken. 'Papa ligt in onze harten, goed bewaard als in schrijnen,' zei ze toen.

Hier stond de tijd stil.

Over stoelen liggen de kleren die we die avond uit hadden gedaan, winterkleren, terwijl het nu volop zomer is.

Het was of we achter hem aan gingen.

En op het laatste nippertje bleven we toch hier.

's Nachts schuifelt mama met krukken naar de wc.

In de badkamer staat zijn shampoo, ligt zijn tandenborstel.

Papa's klerenkast is leeggehaald.

Door mama's schoonzusje, die de kleren keurig in koffers heeft gedaan om ze te beschermen tegen de motten en om mijn moeder dit schrijnende werk te besparen.

's Ochtends ga ik naar beneden om de gordijnen open te doen, de lichten aan te steken, want onder de hoge bebladerde bomen blijft het hier altijd schemerig, en de tafel te dekken; het huis levend en leefbaar te maken.

In mijn oren klinkt het geluid van het persapparaat. Papa perste 's ochtends altijd sinaasappels, tot de laatste drup.

Als ik de vuilnisbak buiten zet, hoor ik dat ik het geluid veroorzaak dat ik zo vaak hoorde toen ik aan mijn vaders schrijftafel zat en hij die dingen regelde.

Net als het halen van de krant beneden uit de brievenbus.

Op het aanrecht liggen de kerstservetten die we net hadden gekocht en in de ijskast de delicatessen die we uit Rome hadden meegenomen voor de feestdagen. Paté van wild zwijn, een bijzondere pastasaus en ook een pot linzen die Italianen altijd eten met Oud en Nieuw omdat die geluk brengen.

Achter de ramen begint weer een warme nazomerdag.

Bijna alle theekopjes zitten in de afwasmachine, alleen het kopje waaruit papa altijd dronk met de kip erop staat er nog en het blauwe kopje dat hij zo lelijk vond.

Ik aarzel even, maar pak ze toch.

Ook die kopjes moeten weer meedoen.

Elke keer als ik schillen of koffie weggooi voel ik me schuldig, want mijn vader zag er scherp op toe dat alles op de composthoop terechtkwam en hij verlustigde zich erin dat het daar gistte en rotte en zich omzette in nieuwe levenssappen. 'Hoe meer wormen hoe beter.'

Als ik de studeerkamer binnenga is het alsof ik een heiligdom betreed, met diezelfde schroomvalligheid.

Hier lag mijn vader de laatste dagen opgebaard, tussen zijn boeken, tussen al die werelden die hij in zijn hoofd had en waar hij anderen in liet delen. De Renaissance, de moderne poëzie, het Russisch, het Sanskriet. Er springen tranen in mijn ogen als ik zijn pijp zie op het bureau waar de papieren en boeken nog liggen waarin ik bezig was. Een studie over Saenredam, Siciliaanse mythen. Ik pak een aantekenboekje op en sla het open.

Er gaat een schok door me heen.

Een krul van papa.

De laatste krul die ik afknipte. Vijfentwintig jaar heb ik zijn haren geknipt omdat ik vond dat de kapper er te veel vanaf haalde, van die schitterende haardos. Toen hij hier lag in de kist en ik keek naar zijn prachtige gebeeldhouwde hoofd omlijst door de krullen die ik van donkerbruin langzaam zilvergrijs heb zien worden, kon ik het niet laten een krul af te knippen om te bewaren.

Die laatste dagen heb ik hier veel gezeten en wat dingen opgeschreven die ik zou kunnen vertellen in de kerk. Hij heeft vaak gezegd dat hij hoopte dat mijn stem door tranen verstikt zou zijn en dat ik niet zou kunnen spreken. Zelf heb ik altijd gedacht dat ik het niet zou kunnen. Maar ik had hem ook zien huilen bij de dood van zijn vader en zijn moeder, en hij sprak toch.

In de laden van het bureau liggen zijn dagboeken. De eerste zin die hij op tienjarige leeftijd noteerde in het eerste schriftje luidt: *Le temps va vite.*

Een paar jaar geleden heeft hij er elke avond voor het slapengaan een paar bladzijden uit voorgelezen aan mijn moeder.

Ik trek de bovenste lade open. Op de stapel schriften ligt een papiertje waarop hij in zijn sierlijke handschrift heeft geschreven wat er in de rouwadvertentie voor mijn moeder moest staan: 'Heden verloor ik voor altijd mijn enige troost. Bezoek en bloemen zijn zinloos.'

Het was zijn uitdrukkelijke wens in allerintiemste kring begraven te worden, 'geen lijk in de kerk, geen geloer in de kist'.

De kleintjes hebben een dag eerder afscheid genomen op de arm van hun ouders. Mattheus, die de begrafenisondernemer had horen zeggen dat mijn vader naar huis gebracht zou worden, had blij geroepen: 'Opa komt thuis! Opa komt thuis!'

Jonathan had gevraagd: 'Vindt opa het fijn om dood te zijn?'

We hebben onze vader naar de kamer gebracht, daar hebben we de kist gesloten. Een kring van kinderen, broers, zusters en allerdierbaarste vrienden eromheen. De winterzon scheen door de glas-in-loodraampjes en maakte kleurige vlekken op de grond en op de kist. De kamer stond vol met grote boeketten rode rozen. Piet, zijn oude klasgenoot die hem kende vanaf zijn tiende, verzorgde het woord en trof weer precies de goede toon, ernst en humor die mijn vader ook bezigde als hij het over of tot de Allerhoogste had.

Piet sprak over de koopman uit het evangelie van Mattheus, die alles verkoopt om die ene, allerschoonste parel te bemachtigen, die ene margaritès, zoals er geschreven wordt in het Grieks. Die parel staat voor het Koninkrijk der hemelen, zoals Margreet dat was voor Jan.

Daarna hebben wij kinderen, de broers en de zus de kist het huis uit gedragen.

De uitvaartleider schreed met de hoed in de hand voor de rij zwarte auto's uit door de laan onder de ontbladerde bomen.

In een kleine stoet liepen we over het oude kerkhof achter de door rode rozen bedolven kist die gedragen werd door statige zwarte mannen met hoge hoeden.

Bij het graf spraken en baden zijn beide broers.

Na de lunch bij ons thuis was er een dankdienst in de uitpuilende kerk.

Onder de klanken van Bachs *Schlummert ein* die hem de laatste tijden zo rustig maakten, kwamen we de kerk in. Mijn moeder en ik hielden elkaars hand vast.

Hier was ik zo vaak bang voor geweest terwijl mijn vader hartstochtelijk naast me zat te zingen in deze kerk. Zo vaak had ik het me voorgesteld en dan liepen de tranen over mijn wangen zonder dat mijn vader het merkte. Die zou het aanstelleritis hebben gevonden.

Overal bekende gezichten. Ook mijn voormalige geliefde, maar ver bij mij vandaan.

Overal mensen die van mijn vader houden, door hem gevormd en geïnspireerd zijn, die hem missen.

De eigen predikant, Jan van der Eijk, leidde de dienst. Ik sprak een welkomstwoord. Terwijl ik naar voren liep huilde ik, maar zodra ik achter het spreekgestoelte stond was ik rustig en vertelde dat mijn vader er vandaag zo dolgraag bij geweest zou zijn. Hij had het zijn hele leven over zijn begrafenis. Het grootste dreigement was dat je niet op zijn begrafenis mocht komen en soms waren alleen de honden van de buren welkom. Niet zo lang geleden had hij gedroomd dat er nadat hij ter aarde was besteld een periscoop uit het graf omhoog kwam waarmee hij kon zien hoeveel tranen er werden geplengd en door wie. Maar toen werd er een petje overheen gegooid.

Hij had ook voortdurend suggesties voor zijn rouwadvertentie. Als een van zijn dochters weer eens met een verkeerde vrijer thuiskwam zei hij; 'Schrijf maar in mijn rouwadvertentie: Van verdriet gestorven. Of: Moe getreiterd.' En, nadat een teek hem te pakken had genomen in het bos: Doodgebeten.

Het zou hem verheugd hebben te weten dat hij ook op zijn eigen begrafenis de mensen door zijn uitspraken liet lachen. Meerdere malen heb ik meegemaakt dat hij terugkwam van de begrafenis van een dierbare, aangeslagen, maar ook tevreden omdat hij flink wat gelach had ontlokt aan de rouwende menigte.

Uiteindelijk wilde hij boven zijn rouwadvertentie de tekst uit psalm 23: *Uw stok en Uw staf die vertroosten mij.* En dat sloeg dan natuurlijk ook op de stokken in het bos die hem zo veel vreugde hebben verschaft.

Hij had het graag en veel over de dood, maar het was een bezwering, want hij hing aan het leven.

Het is een dienst rijk aan melodie en rijk aan woord.

Onze vader heeft ons hierin grootgebracht, in deze taal, deze klanken, deze beelden en rituelen. Hij heeft ons daarmee een fundament gegeven, handvatten om met de grote momenten van het leven om te gaan.

Soms werden we met donderende woorden naar de kerk gejaagd, maar er kon ook speels en licht met de godsdienst worden omgesprongen. Wanneer het gezin met gevouwen handen rond de tafel zat kon mijn vader bidden: 'Heer, strek Uw bewarende hand uit over dit dartele moedertje dat ooit bij mij tussen de lakens is geglipt en over het kleine geteisem dat te kwader ure uit haar te voorschijn gekropen is.'

Elke twijfel kon worden uitgesproken waardoor het me nooit is tegengemaakt en ik immuun ben geworden voor goddeloosheid.

Jan van der Eijk leest de eerste regels van het Johannesevangelie: *In den beginne was het woord.*

Als iemand kon scheppen en toveren met woorden was het mijn vader wel.

In de preek schildert hij mijn vader als een Mozesfiguur.

Met zijn kleinzonen in het bos stokken zoekend voor het knetterend haardvuur. Hij was weerbarstig, zegt hij, uitdagend, spottend soms, maar hij leefde ook in het besef dat de God van zijn vaderen zíjn God was en die van zijn kinderen. De ziekenhuisperiode, die hij als een woestijntijd heeft ervaren, bracht hem uiteindelijk niet thuis bij zijn dierbare gezin, maar elders.

Mathilde leest psalm 23 en we zingen het in de berijming van Vondel: *D'Almachtige is mijn Herder en Geleide, wat is er dat mij schort?*

Er klinken ook modernere dichters:

Catherine leest het gedicht van Karel van de Woestijne over de dood van zijn vader. '*O gij die kommrend sterven moest, en váder waart, en mij liet leven, en me teder léerde leven.*'

Arie Gelderblom, oud-leerling, student, collega en vriend, schildert hem als grote inspirator en sluit af met het gedicht van Lucebert, 'Een groot jager' uit de bundel *Val voor vliegengod*, omdat hij onze vader erin herkent die omgaat met *goddelijke substanties*, bliksem, vuur en steen en fonkeling van woord, en tegelijk een superieure rust belichaamt.

En ik ben zo trots en voel me zo rijk dat hij mijn vader was en blijft, dat ik uit hem gemaakt ben en door hem gevormd, door zijn fantasie, zijn passie, zijn scherpte, zijn humor.

Onno spreekt een dankwoord waarin hij vertelt dat papa tegen hem gezegd had dat wij toch wel het fatsoen moesten hebben iedereen op deze dag op een correcte manier te bedanken. 'Maak het ter ere!' Hij memoreert ook dat papa zo kwaad werd op zijn vrouwtje als ze het ziekenbezoek niet genoeg verwende.

Ten slotte speelde Christa, de organiste met wie mijn vader het zo goed kon vinden, *Herz und Mund und Tat und Leben* van Bach.

Hier zit ik weer. Aan mijn vaders bureau, waaronder ik vroeger met mijn zusjes hutten bouwde en waaraan ik later al mijn boeken heb afgemaakt. Zelf heb ik hem er niet vaak aan betrapt. Hij kon zich concentreren tussen het rumoer van zijn gezin.

Ik zet mijn computer op de uittrekbare plank die iets lager zit en daardoor beter is voor mijn rug. Papa trok die uit als zijn bureau helemaal was volgebouwd met paperassen en boeken, om er zijn voeten op te leggen.

Dit was mijn vaste burcht. Ik heb altijd beseft dat die niet voor eeuwig zou zijn. Toch merk ik dat die vaste burcht ook een beetje in me zit. Ik droomde dat ik terugkwam in mijn huis, mijn eigen huis. Het was aan alle kanten stuk, overal zaten grote gaten maar de muren waren heel dik, de structuur was overeind gebleven. De grote liefde tussen mijn ouders, de gelukkige kindertijd hebben die muren gebouwd in mij.

De thuiszorg helpt ons met de zwaardere huishoudelijke dingen. Regelmatig komt de fysiotherapeut, de man die ik meerdere malen aan de telefoon heb gehad toen papa in het ziekenhuis lag, om hem om raad en hulp te vragen. Hij zou mijn vader als hij thuis was wel weer op de been helpen en fit maken.

Ik ga naar zijn praktijk in het Berghotel, waar hij me oefeningen leert, soms mijn rug masseert en waar ik kan zwemmen. Ik loop door de lanen waar ik de vorige zomer liep, naar het ziekenhuis, vaak twee keer per dag. Langs het huis van Barbara, mijn schoolvriendin, langs de ramen waarachter haar vader stierf, langs het huis van de chirurg die mijn vaders leven zou redden.

Ik zwem in dat stille bad met uitzicht op de tammekastanjebomen waar mijn vader, mijn moeder en ik twee jaar geleden nog een grote buit binnenhaalden. Ook nu belooft het een rijke oogst te worden.

We worden weer gevoerd *over paden van vrolijkheid*.

Er worden weer feesten gevierd. We zijn weer met ons allen in de kerk voor de doop van de nieuwe kinderen. Catherine draagt de kleine Julius naar binnen, ik de kleine Mathilde.

Net als bij papa's rouwdienst zingen we psalm 23 in de berijming van Vondel. Mijn geliefde, die naast me zit, kent dat lied ook sinds zijn prilste jaren.

Het moet een troostend schouwspel zijn voor mama, al haar kinderen en kleinkinderen verzameld te zien rond het doopvont.

En wat zou papa trots zijn geweest.

Voor het slapengaan leest mama elke avond in zijn dagboeken.

Ze moet regelmatig lachen. Zijn hele middelbareschooltijd is verslagen en de dramatische Indische jaren. Je leest het als een roman, zegt ze. Mij wacht dat nog.

Ze vertelt Jonathan dat opa gelukkig heel veel heeft opgeschreven.

18 november

Mijn moeder en ik ontbijten in de keuken. Het is precies een jaar geleden dat papa stierf.

Mijn zusjes en broer komen met de oudste kinderen en met ons allen gaan we naar het kerkhof.

Mama zegt tegen Jonathan, Jan, Mattheus en Pieter, twee vijfjarigen en twee jongens van drie: 'We gaan naar een plekje en daar is opa begraven, maar daar zien we hem niet.'

Ze kijken ernstig.

Jonathan heeft een kransje van kleine appeltjes meegenomen, Mattheus plukt wat takjes in de tuin, mengt die met rode bloemetjes en daar doet zijn moeder Mathilde een rood strikje omheen. Jan en Pieter hebben een mooie dennentak.

We gaan met twee auto's. Het is vlakbij.

We lopen over de bospaden onder de hoge bomen.

De kinderen dartelen over de paden, klimmen soms op een steen. 'Liggen daar allemaal mensen onder?'

'We gaan naar opa.'

De laatste keer dat we het graf van papa zagen was het bedolven onder rode rozen. Nu is het schokkend kaal.

Er is nog geen tijd en gelegenheid geweest om een steen uit te zoeken.

Tante Stieneke en oom Wieger zijn er regelmatig geweest, hebben er plantjes neergezet of takken op gelegd. Maar het wemelt hier van de konijnen en eekhoorns die zich in leven houden door het afgrazen van de graven.

In de grond is een klein plastic bordje geprikt met mijn vaders naam erop. Dat wordt me even te machtig.

Jonathan legt zijn appelkransje op het graf, Mattheus het kleine boeketje.

'Waar is opa?' vraagt Mattheus, terwijl hij zijn handjes spreidt om de vraag kracht bij te zetten.

'Niet hier. In de hemel,' zegt mama.

'Waar is de hemel?'

Jan wijst omhoog.

'Kun je bellen met de hemel?'

'Jammer genoeg niet.'

'Kan hij eruit komen?'

'Nu nog niet.'

'Wanneer dan?'

'God moet eerst alles nieuw maken, hè papa,' zegt Jan.

'Maar als er nou iemand de hemel in gaat, dan kan opa er toch snel uit glippen,' zegt Mattheus.

'Opa is hier.' Pieter wijst met zijn vinger naar de grond.

Mattheus kijkt met grote ogen.

'Ik moet een mes meenemen, dan maak ik het open,' vervolgt dit krachtdadige halve Siciliaantje. 'Zo kan hij er niet uit. Als ik doodga neem ik een mes mee.'

'Is dit dan de hemel?' vraagt Mattheus wijzend op de grond.

'De hemel is in ons,' probeert Mathilde.

'Maar waar is opa?' vraagt hij weer.

'In onze gedachten.'

Daar kan hij niks mee. Mattheus wordt ongeduldig en zegt met stemverheffing langzaam en nadrukkelijk terwijl hij zijn handen in plaats van wijd nu dichter bij elkaar houdt: 'Waar is opa's hoofd?!'

We kijken elkaar even aan.

Hij denkt: dat vage geklets, ik moet het probleem concreter maken voor dat stelletje sufferds.

We weten ons niet helemaal raad.

Hij gaat rondjes rennen, tot ergernis van zijn door emotie overvallen moeder, en roept: 'Dan wil ik naar huis!'

'Ik heb nóg een opa, op Sicilië,' zegt Pieter, die op de naburige steen is geklommen. 'Hij heeft me een fiets gegeven.'

Teleurgesteld en niet veel wijzer wandelen ze terug.

Wat zou papa van deze scène genoten hebben. Hopelijk gluurde hij door een onzichtbaar periscoopje.

Terwijl we teruglopen kijken we naar stenen.

Rood marmer vinden we wel mooi, een warme kleur die bij hem past.

Maar zo'n platte deksel is zo koel, zo zwaar.

Bij een groot beeld van een geknielde rouwende man aan de ingang van het kerkhof zegt Jonathan: 'Nou, dan noem ik hém maar opa.'

En blijdschap

We zoeken stenen in de tuin.

Johanna heeft iedereen gevraagd stenen mee te nemen om op het graf van Tado te leggen, vandaag, precies een jaar na zijn dood.

Dan stappen we in de auto, mama achter het stuur, ik naast haar en rijden onze laan uit, de provinciale weg op.

Langs Soesterberg.

Langs een lange rij bomen.

Langs de sauna, waar onze redder werkt.

We draaien de statige Maliebaan op.

Er komt net een groep mensen naar buiten.

De zonen, de broers van Johanna, de zuster van Tado.

Vrienden, mensen die ik niet ken, die ik allemaal handen druk terwijl ik mijn best doe me te beheersen bij het zien van die deur, dat portaal waar we afscheid namen.

We wandelen naar het kerkhof.

Ik geef mama een arm, het gezelschap gaat iets te vlug voor haar.

We lopen over grind en ik zie de bospaden voor me die naar het graf van papa leiden.

Wij zijn de laatsten.

De mensen staan stil bij een grote witte zwerfkei, een kleine ertegenaan gevlijd.

Eerst spreekt Tado's collega en opvolger, die ook zijn rouwdienst heeft geleid.

Dan Ben, de jongste zoon.

Even wordt hij door emotie overmand. Zijn broer Martijn gaat naar hem toe en slaat zijn arm stevig om zijn schouder.

Dan spreekt Ben kalm en sterk.

Hij zegt wat we allemaal voelen, dat we Tado missen, en dat hij zo veel leuke dingen met zijn vader ondernam.

Hij zegt het in gewone heldere woorden.

Daarna planten zijn broers Martijn en Guido een kleine treurbeuk en een druivenrank.

Een hartsvriend van Tado legt een kei op het graf.

Dan mama en ik, twee door papa naar onze tuin meegenomen stenen.

We wandelen terug. Mijn moeder tussen Johanna en mij in.

'Ja, mooi hè, die zwerfkeien,' zegt Johanna, 'mooie ronde vormen, net kussens. Hanneke zat vaak bij Tado op schoot. Het is net of die kleine steen op schoot ligt bij de grote.'

Zo'n zwerfkei zou ook wel bij papa passen, hij was altijd op zoek naar stenen, voor het pad.

We hebben het weer over die avond. Weer vertel ik dat Tado er niets van heeft gemerkt.

'Ik wil er voortdurend over praten, merk ik,' zegt Johanna, 'alles eindeloos herhalen.'

We gaan het huis binnen, de lichte hal.

Ik zie weer hoe Johanna de deur voor ons opendeed.

Hoe ze ons uitzwaaide. Het gemeenschappelijk verdriet had ons nog dichter bij elkaar gebracht.

Ik ben me bewust van mijn bewegingen. Het is of ik mezelf en de anderen vanuit de verte zie. Beelden van nu vermengen zich met die van toen.

In de kamer staat een lange tafel, op dezelfde plek, een wit tafellaken eroverheen.

Er staan witte rozen op en witte kaarsen.

Bach klinkt.

Iedereen omhelst ons, ook tal van onbekenden die zeggen dat ze het zo fijn vinden dat wij er ook zijn vanavond. Ze hebben een jaar lang meegeleefd.

Johanna's broer schenkt wijn voor me in, in een stevig, niet al te hoog glas. 'Het favoriete glas van Tado.'

Hij was meteen naar Johanna toe gegaan die nacht en is maanden gebleven.

Ik kijk naar de portretten van Tado, van Hanneke.

Als iedereen aan tafel zit, ik ongeveer op dezelfde plek als toen, mama schuin tegenover me, neemt Johanna, die aan het hoofd van de lange tafel zit, het woord.

'Ik wil wat zeggen, zoals Tado altijd deed.

Het troost ons op deze dag omringd te zijn door jullie, die ook van Tado hebben gehouden.

Verwarrend is het om aan een mooi gedekte tafel te zitten. Dit soort avonden had altijd een feestelijke aanleiding, en Tado was dan op zijn best.

Hij zou gewild hebben dat we de lichtheid bleven zoeken.

Af en toe vonden we die even.

Bij het graf hoorden we over woorden die soms helpen en sterker zijn dan de dood.

Ja, woorden hebben geholpen, woorden van dichters en denkers, woorden van jullie.

De geboorte van kleinzoontje Daniel heeft geholpen.'

Johanna praat rustig.

'En Tado zelf heeft me geholpen. Onlangs zag ik hem op een video, en hoorde hoe hij de oudtestamentische zegen uitsprak: "De Heer zegene u en behoede u, de Heer doe zijn Aangezicht over u lichten en zij u genadig, de Heer verheffe Zijn Aangezicht over u en geve u vrede." En daar voegde hij altijd aan toe: "En blijdschap."

Nu, daar vertrouw ik dan maar op.

Omdat híj het zei.'

Ze heft het glas en iedereen met haar.

Grote schalen met voorgerechten worden rondgegeven.

Er klinkt steeds geanimeerder gepraat, van iedereen met iedereen, over wat er gebeurd is, er worden herinneringen aan Tado opgehaald.

Ik kijk regelmatig naar mijn moeder, die schuin aan de overkant levendig zit te praten. Ze ziet er goed uit, alleen haar nek is nog een beetje stijf.

Niemand durft achter de piano te gaan zitten omdat het zulke bijzondere momenten oproept met Tado en Hanneke. Martijn speelde dan, Tado zong, soms samen met Johanna. Hanneke zat bij de piano in haar rolstoel en reageerde heftig op de muziek. Elke dissonant merkte ze op en ze was soms tot tranen toe geroerd als haar vader zong.

Tussen de gangen door wandelt Johanna rond en slaat dan weer haar arm om deze, dan om die schouder.

Mama herinnert me eraan dat hier nog schoenen van mij moeten zijn. Toen ik in het ziekenhuis lag was me verteld dat de politie ze had gevonden in het gras en ze bij Johanna had afgegeven.

Johanna had er wel aan gedacht, zegt ze, maar ze nu teruggeven leek haar een scène uit een zwarte film.

Ik ben er niet bang voor.

Ze zitten in een doos met andere spullen die bij het wrak zijn gevonden, maar tot nu toe had ze het niet kunnen opbrengen om erin te kijken.

Johanna gaat de kamer uit en komt even later terug met mijn schoenen.

We lachen een beetje.

Ik sta met mijn schoenen in de hand in het portaal en omhels Johanna.

Johanna doet ons uitgeleide.
    Wij stappen in de auto.
    Mijn moeder achter het stuur, ik aan haar zijde.
    Ik zet de schoenen bij mijn voeten.
    Mama rijdt rustig.
    Over de Maliebaan.
    Over andere donkere wegen.
    Tussen rijen bomen door met kale takken.
    We zitten stil naast elkaar en rijden ook die ene boom voorbij.

Inhoud